Pierre Vermeren

Histoire du Maroc
depuis l'indépendance

Éditions La Découverte
9 *bis*, rue Abel-Hovelacque
75013 Paris

Pour Abdellillah B., Hadda B., Rahma B.,
Sardia C., Aïcha S., Fatima

Catalogage Électre-Bibliographie
VERMEREN, Pierre
Histoire du Maroc depuis l'indépendance. — Paris : La Découverte, 2002. —
(Repères ; 346)
ISBN 2-7071-3739-1

Rameau :	Maroc : politique et gouvernement : 1956-
	Maroc : politique et gouvernement : 1999-…
Dewey :	964 : Maroc
Public concerné :	Public motivé. Niveau universitaire

Si vous désirez être tenu régulièrement informé de nos parutions, il vous suffit d'envoyer vos nom et adresse aux Éditions La Découverte, 9 *bis*, rue Abel-Hovelacque, 75013 Paris. Vous recevrez gratuitement notre bulletin trimestriel *À la Découverte*. Vous pouvez également retrouver l'ensemble de notre catalogue et nous contacter sur notre site **www.editionsladecouverte.fr**.

Introduction

Le Royaume du Maroc est perçu comme l'un des États arabes les plus proches de l'Occident, tant par sa géographie que par sa politique. Contrastant avec une Algérie successivement révolutionnaire, tiers-mondiste, puis en proie au démon islamiste, le Maroc donne l'image d'un havre de paix, de continuité dynastique et de stabilité politique. Certes, à travers l'affaire Ben Barka, les coups d'État avortés des années 1970 et les échos de la répression politique des « années de plomb », l'Europe et la France ont su que leur paisible voisin vivait des heures difficiles. Mais le Maroc a toujours conjuré les tentatives de déstabilisation.

Mieux, fort d'une continuité dynastique multiséculaire et d'une histoire nationale dite millénaire, le Royaume chérifien est apparu comme l'un des rares pôles de stabilité des mondes arabe et africain. Les pays occidentaux ne s'y sont pas trompés, qui lui ont fourni aide et soutien durant toute la guerre froide.

Pourtant, derrière sa façade avenante, le Maroc a traversé alors de sombres années. Après une fin de protectorat trouble, l'indépendance politique a été assez vite négociée pour cause de guerre d'Algérie. En 1956, le royaume marocain se retrouve face à lui-même. Or la courte période du protectorat (quarante-quatre années) avait instillé des ferments encore mal digérés de modernisation économique et politique. La société demeurait largement tribale, rurale et rebelle à une autorité centrale que le protectorat n'avait pu faire respecter que par la force. La bourgeoisie économique était avide de récupérer les positions des colons, sans envisager d'en partager les fruits avec la population. Si le nationalisme de l'Istiqlâl (le grand parti nationaliste de

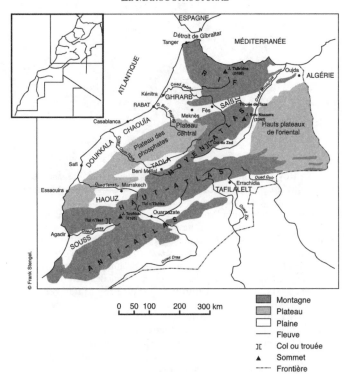

l'indépendance) a su un moment fédérer les énergies contre la puissance protectrice, une fois celle-ci défaite, les mouvements centrifuges reprirent de plus belle.

Les vives tensions d'après l'indépendance trouvent leur sens dans l'héritage du XIXᵉ siècle. Elles se manifestent d'autant plus vivement que le protectorat a masqué les conflits en imposant à tous une paix forcée, au bénéfice du sultan (et plus généralement du Makhzen, l'appareil d'État chérifien). Le retour des tensions à l'indépendance allait menacer le trône.

En trois grandes parties, nous allons présenter la construction

ROYAUME DU MAROC
DÉCOUPAGE RÉGIONAL DE 1997

© Frank Stengel.

et le difficile avènement du Maroc d'aujourd'hui. Il s'agit d'abord de décrire la lutte pour le *leadership*, qui oppose de longue date le parti de l'Istiqlâl et le Palais, débouchant en 1961 sur la victoire du Palais. Une deuxième partie sera consacrée au premier règne de Hassan II, qui voit le Palais affronter une succession d'épreuves qui le font vaciller (1961-1975). Enfin, la Marche Verte de 1975 fait basculer le règne de Hassan II dans l'union sacrée, qui prépare pendant vingt-trois années l'alternance politique de 1998... La succession est alors assurée. Elle s'engage le 23 juillet 1999 par l'arrivée sur le trône alaouite de Mohammed VI.

Alors commence la transition marocaine.

DE L'EMPIRE CHÉRIFIEN
AU ROYAUME MAROCAIN (1912-1961)

I / L'avènement d'un nouveau Maroc sous le protectorat

1. L'invention du nationalisme marocain

Bien que certains historiens (A. Laroui, 1977) aient cherché au XIXᵉ siècle les sources du nationalisme marocain, il ne fait guère de doute que cette idéologie, catégorie politique moderne, a émergé au Maroc durant l'ère coloniale. Jusqu'en 1912, l'Empire chérifien était un empire militaro-théocratique aux marges mouvantes, multiethnique et multiconfessionnel. En dehors du « bled Makhzen », la plus grande partie du pays, le grand arc montagneux qui ceinture le Maroc central, du Rif au nord à l'Anti-Atlas au sud-ouest, en passant par le Moyen et le Haut-Atlas, ainsi que les confins de l'Algérie française et du Sahara au sud, n'était soumise à l'allégeance et au tribut fiscal qu'au terme de razzias militaires toujours à recommencer.

La lente pénétration du capitalisme marchand durant le XIXᵉ siècle, puis l'encerclement militaire français et la signature du traité de protectorat par le sultan alaouite Moulay Abdelhafid le 30 mars 1912 à Fès, allaient faire basculer l'Empire chérifien dans l'histoire contemporaine (au nord, le Rif fut soumis au protectorat espagnol le 27 novembre 1912, et Tanger devint zone internationale le 18 décembre 1923).

Dès le mois d'avril 1912, Lyautey et sa troupe sont encerclés par les tribus berbères dans la ville de Fès révoltée. Les chefferies tribales et les notabilités religieuses désapprouvent le nouvel état de fait. Il faut vingt-deux ans de guerre pour soumettre l'ensemble des tribus berbères à l'autorité du sultan désormais défendue par le protectorat. L'épisode de la guerre du Rif dans les années vingt nécessite l'emploi de 800 000 hommes

États et territoire du Maghreb Extrême dans l'histoire

La diffusion de l'idéologie nationale à travers le monde finit par faire croire en la préexistence des nations. Il en va du Maghreb comme des autres régions du monde, dont le territoire fut occupé depuis l'Antiquité de manière discontinue (dans le temps et dans l'espace) par une succession d'empires militaro-théocratiques.

L'occupation du nord de l'Afrique est attestée depuis le néolithique. Ce fond de peuplement nomade est le substrat de la population amazigh (plus tard berbère pour les Romains) qui couvre la plus grande partie du Sahara jusqu'au Nil. Des royaumes amazigh émergent dans l'histoire, sans parvenir à assurer leur domination sur toute la région, ni à faire front aux autres civilisations qui s'installent en Afrique du Nord.

Les Phéniciens sont les premiers Orientaux à s'installer en Afrique (ou Ifriqiya). Ils fondent Carthage dès le VIIIᵉ siècle avant J.-C., puis essaiment vers l'ouest. Dans la région des Colonnes d'Hercule (futur détroit de Gibraltar), face à la Bétique (sud de la péninsule Ibérique), ils fondent des colonies, Tingis (Tanger), Tamuda et Lixus sur l'Atlantique.

L'extension de l'Empire romain au IIᵉ siècle avant Jésus-Christ allait unifier la région de manière durable. L'Afrique se couvre de colonies romaines et de villes qui s'échelonnent jusqu'à l'Océan. La province occidentale de l'Empire est baptisée Maurétanie tingitane, le pays des Maures au sud de Tingis. Les Romains fondent des villes comme Salé, à l'embouchure du fleuve qui borde aujourd'hui Rabat, et Oualila (Volubilis), au pied du Moyen-Atlas (près de l'actuelle Meknès). Le christianisme pénètre en Maurétanie, tout au moins dans les villes (la liturgie en latin s'y perpétue localement jusqu'au XIIIᵉ siècle).

Au sud du *limes* Salé-Oualila, l'Empire romain entre en *terra incognita*, domaine où nomadisent les tribus « berbères ». Dans ces tribus, les croyances ancestrales se perpétuent, aux côtés d'un judaïsme rural (berbérisé) présent depuis le premier siècle de notre ère. Les caravanes nomades transsahariennes berbères acheminent l'or, l'ivoire et les esclaves du pays des Noirs.

L'effondrement de l'Empire romain se traduit par l'installation des Vandales des deux côtés du Détroit. Ils laissent leur nom à l'Andalousie, dérivé du mot *Vandales* (l'*Andalous* des Arabo-Imazighen).

La tentative de reconstruction de l'Empire romain par Constantin fait long feu en Afrique du Nord, sous la triple influence de la chrétienté occidentale, des tribus berbères, puis de l'islam, religion née au VIIᵉ siècle en Arabie. En Maurétanie tingitane, l'essentiel du pays reste aux mains des tribus, à l'exception des deux villes du Détroit (Tingis et Ceuta) repassées sous contrôle romain.

Puis, en moins d'un siècle, toute l'Afrique du Nord — qui devient le Maghreb, « le couchant » en arabe — est soumise au joug des conquérants arabes (un groupe de 100 000 personnes), sous direction des califes de Bagdad. Le Maghreb Extrême (l'ancienne Maurétanie tingitane) est la partie la plus occidentale de l'Empire musulman. Le chef de guerre berbère musulman, Tarek Ibn Zyad, traverse le détroit, auquel il donne son nom (Gibraltar, *jebel Tarek*, la montagne de Tarek), et soumet la péninsule Ibérique (711-713). Ce sont les guerriers berbères convertis qui ont assuré l'expansion de l'islam dans cette région du monde.

Mais, dès le VIIIᵉ siècle, le Maghreb échappe au Califat de Bagdad. Les gouverneurs arabes sont chassés en 740 (crise kharidjite).

Après 780, Idris, un Arabe descendant d'Ali (le gendre du Prophète), poursuivi par les Abbassides, arrive dans la région de Oualila. Il se fait reconnaître en 788 par la tribu des Aouraba « commandant et chef du culte, de la guerre et des biens » et meurt en 791. Son fils Idris II est le fondateur de Fès (en 789 ?), nouvelle ville appelée à devenir capitale de l'Empire. Elle devient en particulier le siège, avec Tunis et Le Caire, d'une des trois grandes universités mosquées de l'islam arabe, la Quaraouiyne, fondée par des Kairouanais en exil. La fondation de Fès et d'autres villes comme Rabat ou Meknès permet la diffusion de l'islam dans les tribus berbères, et la naissance d'une économie prospère, basée sur l'artisanat et le grand commerce.

Les Idrissides fédèrent une grande partie du Maghreb occidental, et font passer sous leur dépendance la plus grande partie de l'Espagne (el-Andalous). Sur ces bases s'est édifié le Maroc médiéval, toujours associé à l'Espagne musulmane dans les écrits des chrétiens, sous le terme de « Royaume de Marrakech » (après la fondation de la ville par les Almoravides en 1070). C'est du nom de « Marrakech » que dérive l'appellation contemporaine de « Maroc ».

Depuis du VIIIᵉ siècle, sept dynasties se succèdent à la tête de l'Empire marocain (ou chérifien), dont les limites territoriales ont constamment changé (Vermeren, 2001).

Lors de son extension la plus large, à la fin du XIIᵉ siècle, l'Empire berbère très rigoriste des Almohades (dont Marrakech est la capitale et dont le premier souverain est proclamé « calife ») s'étend sur l'ensemble du Maghreb jusqu'au golfe de Gabès (sud de la future Tunisie), ainsi que sur el-Andalous.

À la fin de la dynastie berbère des Mérinides (seconde moitié du XVᵉ siècle), les chrétiens ibériques achèvent leur *reconquista* (chute du Royaume de Grenade en 1492). Le Maghreb reçoit alors une première vague d'immigrés andalous, qui s'installent au Maroc (ou Maghreb Extrême) dans les grandes villes de Tétouan, Salé et Fès, y insufflant un véritable renouveau des arts, de la pensée et de l'urbanisme. À quoi s'ajoute une partie des communautés juives sépharades chassées d'Espagne en 1492, qui s'installent elles aussi dans ces villes. Enfin, au début du XVIIᵉ siècle, une troisième vague d'Andalous (les morisques) arrive après son expulsion d'Espagne.

Portugais et Espagnols exercent une pression croissante qui vise à la création de places fortifiées sur les côtes marocaines. Le *djihad* (guerre sainte) offensif laisse place à un *djihad* défensif. Cette pression chrétienne affaiblit le pouvoir chérifien, d'autant que, dès le milieu du XVIᵉ siècle, se précise la menace ottomane (tout le Maghreb central passe sous sa domination). Pendant quatre siècles, les dynasties arabes des Saadiens et des Alaouites, originaires du Sud, résistent à ce double danger, créant des places fortes (Chaouen dans le Rif face aux Hispaniques et Oujda dans l'ouest face aux Ottomans). Ces dynasties passent à cette fin des accords toujours renégociés (ou imposés par la force) avec les tribus des zones de montagnes et des confins sahariens (tribus que l'on regroupe sous le nom de *bled Siba*).

Au XIXᵉ siècle, alors que la menace impérialiste se précise avec l'installation des Français à Alger en 1830, il existe dans l'Empire des Alaouites une quarantaine de médinas (villes fortifiées), qui reconnaissent l'autorité du sultan, et d'abord la grande ville de Fès avec ses 80 000 habitants. Aux villes, il faut ajouter le plateau central et les plaines atlantiques (toute cette région est appelée *bled Makhzen*).

Mais les tribus nomades, qui représentent l'essentiel des trois millions d'habitants qui peuplent cet espace plus grand que la France, sont soumises de manière très aléatoire au Makhzen. Confronté à de gros problèmes financiers en cette seconde moitié de XIXᵉ siècle, le sultan tente d'accroître la pression fiscale. Mais les tribus renâclent à payer et l'anarchie s'installe dans le pays.

Cette situation apporte aux milieux impérialistes français une seconde justification (après la dette) pour précipiter l'avènement du protectorat français sur le Maroc, instauré en 1912 par le traité de Fès.

---

des armées française et espagnole, sous le haut commandement de Pétain, pour venir à bout de la résistance de la « République du Rif » d'Abdelkrim el Khattabi. Cette guerre peut encore être rattachée à la résistance militaro-religieuse sur fond d'appel à la guerre sainte (ou *jihad*) (Gallissot, 1987).

La reddition d'Abdelkrim le 27 mai 1926 marque la fin d'une époque. La résistance des tribus de l'Anti-Atlas jusqu'en 1934 est résiduelle et leur soumission inéluctable, dût-elle grossir la liste des 27 000 soldats français tués pour conquérir le Maroc (non comptés les soldats espagnols, dont 8 000 tués pour la seule bataille d'Anoual en juillet 1921). Soumises, les tribus sont contraintes à l'allégeance envers le Sultanat alaouite, tandis que les officiers des Affaires indigènes s'attachent la fidélité des chefferies vaincues. Cette politique des « grands caïds » devait constituer l'armature de la domination coloniale au sein d'un pays essentiellement rural et tribal (D. Rivet, 1999). À la fin des années vingt, une nouvelle histoire commença, puisque ce fut dans la bourgeoisie urbaine qu'émergea le nationalisme moderne.

Le nationalisme marocain eut deux sources majeures d'inspiration au XXᵉ siècle. La première passe par les mosquées, c'est l'idéologie salafiste (qui prône le retour aux sources de l'islam pour faire renaître le monde musulman jugé décadent), doctrine importée des réformistes religieux proche-orientaux comme Mohammed Abdou, et répandue au Maroc par le cheikh Abou Chouaïb Dukkali. À partir des années vingt, elle marque profondément les étudiants de la Quaraouiyne, comme Allal el Fassi ou Mokhtar el Soussi (*Penseurs maghrébins*, 1993). La seconde source est celle du courant Jeunes Marocains. Sur le modèle des Jeunes Turcs (Ch.-A. Julien, 1978) il veut au contraire utiliser et retourner contre lui les armes et les principes dits « universels » du colonisateur. Ce second courant touche la jeunesse étudiante du protectorat, notamment la petite communauté des étudiants de Paris, comme Ahmed Balafrej et Belhassen el

Allal el Fassi, Ahmed Balafrej et le parti de l'Istiqlâl

Mohammed Allal el Fassi (1910-1974) est né à Fès d'une grande famille d'oulémas. Devenu *'alem* (docteur en religion) de la Quaraouiyne, il est le père « spirituel » du nationalisme marocain. Ahmed Balafrej (1908-1990), né dans une famille de notables de Rabat, est membre fondateur puis secrétaire général du parti de l'Istiqlâl (parti de l'indépendance), créé à Fès le 11 janvier 1944. Allal el Fassi, longuement exilé, s'appuya sur la forte personnalité d'A. Balafrej pour diriger la lutte nationaliste de l'intérieur. De formation française, Jeune Marocain à Paris à la fin des années vingt, l'avocat A. Balafrej est un organisateur infatigable. Il fut le véritable patron de l'Istiqlâl, dont Allal el Fassi était à la fois le *zaïm* (chef charismatique), la caution religieuse et l'inspirateur idéologique dans sa version salafiste.

Le « Dahir berbère » du 16 mai 1930 fut l'occasion pour les nationalistes marocains de fédérer leurs forces (Quaraouiyne et Jeunes Marocains) dans une opposition active. Le Comité d'action marocaine créé au Maroc en 1934 élabora une plate-forme de revendications réformistes. Mais, malgré l'élection du Front populaire en 1936, rien ne changea dans la politique française. La répression mena Allal el Fassi en déportation au Gabon (de 1937 à 1946). A. Balafrej et ses compagnons fondent l'Istiqlâl en 1944. A. Balafrej est immédiatement exilé. Allal el Fassi est nommé à la tête du parti lorsqu'il rentre d'exil en 1946. Constatant le blocage colonial, il part au Caire en 1947, où il participe à la fondation du Comité de libération du Maghreb arabe. Il y rédige ses principales œuvres. A. Balafrej dirige le parti qui est interdit en 1952.

Après avoir porté la cause marocaine devant l'ONU en 1953, A. Balafrej devient ministre des Affaires étrangères après l'indépendance, en avril 1956, puis premier président istiqlâlien du Conseil en 1958. Quittant l'Istiqlâl en janvier 1960, ce nationaliste monarchiste redevient ministre des Affaires étrangères en 1961, puis représentant personnel du roi de 1963 à 1972, date à laquelle il démissionne et tombe malade, alors qu'il apprend l'emprisonnement de son fils Anis pour activisme pro-palestinien d'obédience gauchiste.

Allal el Fassi devient président du parti à son retour d'exil en août 1956, puis ministre des Affaires islamiques en 1961-1963. Critiquant l'orientation autoritaire du régime et le néo-colonialisme, Allal el Fassi finit pourtant, à la veille de sa mort, par renouer avec le Trône, qui a lancé l'opération saharienne.

Ouazzani (Vermeren, 2002). Les événements de l'année 1930 permirent la jonction de ces deux courants.

2. Du sultanat à la monarchie

Le sultan Moulay Abdelhafid, signataire du traité de Fès, abdique le 12 août 1912. Malade et soumis à une forte pression du résident général Lyautey, il quitte le Maroc. Le trône passa aux mains de son frère Moulay Youssef, dûment choisi par Lyautey car il ne semblait représenter aucune menace pour le bon fonctionnement du protectorat. Transféré à Rabat sur injonction du résident qui choisit d'y implanter la capitale du pays, Moulay Youssef régna quinze ans (1912-1927) dans une discrétion absolue (Ch-A. Julien, 1978). Lorsqu'il décéda le 18 novembre 1927, son troisième fils, Sidi Mohammed, monta sur le trône. Âgé de dix-huit ans, le jeune sultan, élevé au Palais de Meknès, donna à penser aux autorités du protectorat qu'il serait faible et discret.

Le 16 mai 1930, il signe ainsi le « Dahir berbère » que lui présente le résident général Lucien Saint. Il revenait en effet au sultan de valider, par son sceau, les textes écrits par les autorités protectorales, leur conférant ainsi la qualité de *dahir* (ou décret sultanien). Une commission de juristes avait préparé ce dahir qui reconnaissait la compétence judiciaire des assemblées populaires (ou *jema'a*) et des tribunaux coutumiers dans les tribus berbères. Mais surtout, en matière pénale, les Berbères étaient transférés à la juridiction criminelle française, privant le sultan d'une de ses principales prérogatives (G. Lafuente, 1999). Ce dahir, qui tomba l'année du Congrès eucharistique de Tunis, fit croire à une offensive chrétienne concertée contre l'islam maghrébin et en particulier le *chra'* (ou loi musulmane).

Lancée de la mosquée de Salé par l'imam octogénaire Haj Ali Aouad, la prière au Sauveur (*Ya Latif*), demandant que les musulmans ne soient pas séparés de leurs frères berbères, se répandit jusqu'au bastion de la Quaraouiyne. Alors que l'agitation gagnait les esprits et les rues, la répression fut brutale, et eut la maladresse de frapper les Jeunes Marocains de Fès, accusés d'être « des échappés de l'école primaire ». Elle précipita la rencontre entre cette jeunesse intellectuelle et la mouvance salafiste, qui orchestrèrent une vive campagne, relayée dans tout le monde musulman depuis Genève par l'émir syrien Chekib Arsalan. Ces conséquences imprévues finirent, au bout de quatre ans, par faire reculer la résidence. Mais les Jeunes Marocains avaient pu affirmer le nationalisme, et faire passer l'action politique sur un plan aussi important que la réforme religieuse.

La publication par les Jeunes Marocains de la revue *Maghreb* à Paris à partir de juillet 1932, puis de l'hebdomadaire de langue française *L'Action du peuple* à partir de 1933, servit à élaborer un programme de revendications, qui aboutit en 1934 à la première plate-forme du nationalisme marocain, le Plan de réforme. La « stricte application du traité de protectorat » était réclamée, signifiant la « suppression de toute administration directe » et l'affirmation de la souveraineté du sultan. Dès le 18 novembre 1933, de Jeunes Marocains avaient organisé à Fès une « Fête du Trône », introduisant ainsi au Maroc la notion de roi (*malik*). Il s'agissait de moderniser l'institution médiévale du sultanat, et de signifier l'imbrication entre l'institution chérifienne et la souveraineté nationale.

Mis en garde par la Résidence contre les jeunes nationalistes « républicains », Sidi Mohammed fut impressionné par l'accueil triomphal qu'il reçut à Fès le 8 mai 1934, un mois après l'abolition du fameux dahir, aux cris de « Vive le roi, vive le Maroc ! ». Les Jeunes Marocains avaient obtenu l'appui du peuple pour organiser cette première Fête du Trône populaire. Le sultan, rassuré par Allal el Fassi, comprit son intérêt à s'allier aux nationalistes qui lui proposaient de sauver son pouvoir. Il leur promit de ne plus rien céder à la Résidence. Cette alliance inattendue fut scellée jusqu'à l'indépendance, et l'Istiqlâl devait faire du sultan Sidi Mohammed le roi du Maroc, titre qu'il prendra officiellement le 15 août 1957.

3. Économie coloniale et modernisation sociale

De « l'Empire fortuné » au mythe de la « Californie africaine », les autorités du protectorat ont su vendre le Maroc pour attirer capitaux et migrants, et créer une « euphorie perpétuelle », « bluff superbe » démasqué par Jean Lacouture en 1957 (*Esprit*). L'opération a permis d'attirer des investissements immobiliers et d'édifier de grands ensembles urbains, à l'instar de la puissante capitale économique installée par Lyautey à Casablanca, et qui comptait déjà 682 000 habitants en 1952. Mais si la ville est devenue la plus importante d'Afrique du Nord devant Alger, elle le doit davantage à l'exode rural qu'au développement économique et industriel (150 000 personnes y habitent en bidonvilles en 1952). Jusqu'en 1945, l'investissement industriel (hors bâtiment) reste médiocre (A. Belal, 1980), tandis que l'investissement public a toujours été très supérieur à l'investissement privé.

Avec la fin du régime de la « porte ouverte » en 1939, la coupure des relations avec la métropole en 1942, puis le contexte favorable de l'après-guerre jusqu'en 1953, la Communauté européenne investit et produit sur place. Mais le bilan industriel du protectorat reste mitigé. De 1920 à 1955, la croissance du secteur industriel a été de 6 % par an, largement tirée par le bâtiment et l'exploitation minière, qui s'envole à partir de 1945. La part de l'industrie manufacturière n'a jamais dépassé 15 % du PIB, et le Maroc colonial est constamment déficitaire (en 1952, son taux de couverture est d'à peine plus de 50 %), dépendant de l'extérieur pour de nombreux produits (dont 55 % viennent de France en 1955). À la fin du protectorat, les quatre cinquièmes des Marocains vivent d'une agriculture sous-productive (34 % du PIB), ce qui explique un exode rural puissant.

Contrairement aux vœux de Lyautey, le Maroc a connu un processus d'algérianisation, notamment un transfert massif de population européenne en provenance de Tunisie, d'Algérie et d'Espagne. Le flux migratoire a été suffisamment rapide pour qu'en 1952 le Maroc colonial compte dans son ensemble 539 000 Européens (soit plus que la moitié des Européens d'Algérie). Cette situation n'est pas due qu'à la propagande des autorités, mais reflète le haut niveau de vie des Européens du Maroc français, qui ont un revenu par habitant correspondant à 130 % du niveau de vie français en 1955, alors que les Européens d'Algérie se situent sous les 90 % (R. Gallissot, 1964).

La « Californie africaine » est une réalité partielle, notamment pour les 5 903 colons qui se partagent plus de 1 million d'hectares sur les 4,5 millions mis en culture. Ces terres, facilement irrigables et fertiles, sont concentrées dans les grandes plaines (Fès-Meknès, Rharb, Chaouïa, Haouz, Tadla, Souss), et fournissent l'essentiel des exportations (45 % du total de celles-ci sont en effet alimentaires, alors que le Maroc importe une valeur équivalente de produits alimentaires, soit 23 % de ses importations).

Le Maroc est un pays faussement riche. En trente-cinq ans, le PNB par habitant a progressé de 1,7 % par an, mais la population musulmane dans son ensemble (8 585 000 habitants en 1952) s'est appauvrie, évolution qui accompagne la décomposition des structures traditionnelles (J. Brignon, 1967). Cette économie extravertie exporte du phosphate, du plomb, des sardines, du vin et des agrumes, dans la dépendance des marchés étrangers et des contingentements français.

4. Une solide bourgeoisie urbaine

Mais les colons et les prépondérants ne sont pas les seuls privilégiés du pays. De même qu'il existe des milieux populaires européens (comme dans le quartier de l'Océan à Rabat), il existe une puissante bourgeoisie marocaine urbaine d'une part, et féodale ou militaro-religieuse d'autre part. Elles ont réussi à renforcer leurs bases économiques pendant le protectorat. Impulsée par le capitalisme européen, l'insertion du Maroc dans les échanges au XIXᵉ siècle a permis la constitution de fortunes familiales au sein de la bourgeoisie fassie (M. Kenbib, 1996). Les palais des grandes familles de Fès, agrandis et embellis au XIXᵉ siècle, témoignent de cette munificence, d'autant que ces familles deviennent les principaux financiers du pouvoir sultanien. Ils obtiennent en échange des fonctions rémunératrices (dans les douanes), et s'allient aux familles de l'aristocratie religieuse et intellectuelle (*chorfa* et *oulémas*) ainsi qu'aux familles makhzen (titulaires des hautes fonctions étatiques) (R. Le Tourneau, 1987).

Si la colonisation, en captant à son profit la direction de l'État, bloque l'ascension politique et administrative de ces puissantes familles, elle entrave peu le développement de leurs activités économiques. Il est d'ailleurs intéressant de suivre l'exode progressif des familles fassies qui quittent leur ville, l'ancienne capitale politique et économique, pour s'installer dans la nouvelle métropole économique, Casablanca (A. Benhaddou, 1997). Dans cette ville portuaire, elles vont développer des activités de grand commerce (céréales, importation de thé, de sucre, de café et soieries). D'autre part, une autre partie de la parenté (à côté des féodaux ruraux) édifie un patrimoine terrien conséquent, participant à une sorte de colonisation intérieure à grande échelle, que le protectorat a rendue possible en légalisant en 1919 l'appropriation privée des terres collectives (biens religieux *habous* et terres tribales) (N. Bouderbala, 1996).

L'appropriation privée des terres concerne de nombreux petits et moyens propriétaires (un dixième de la population rurale — 600 000 personnes — possède la moitié des terres cultivables, soit 2 millions d'hectares). L'aspect le plus connu reste cependant la propriété des « grands caïds », 7 500 féodaux se partageant 1,8 million d'hectares, soit le quart des terres cultivables. Avec respectivement 15 000 et 56 000 ha, le pacha Glaoui de Marrakech et le caïd Amehroq des Zaïans sont parmi les grands bénéficiaires de cette évolution. Les propriétaires urbains participent à ce mouvement d'appropriation autour des grandes villes. Au total, la dépossession foncière des tribus a profité cinq fois plus aux propriétaires fonciers marocains qu'à la colonisation.

À cette époque, la dynamique de la bourgeoisie fassie ne concerne que quelques dizaines de familles et quelques centaines de personnes, mais elle a une importance déterminante dans l'histoire du XXe siècle marocain. La migration des commerçants à Casablanca n'exclut pas l'installation dans les autres grandes villes bourgeoises du Maroc (Meknès, Salé et Tétouan), mais aussi dans l'entourage du sultan à Rabat, posant à terme les bases d'une bourgeoisie nationale. Une partie des héritiers de ces familles investit l'école coloniale et constitue l'armature intellectuelle du nationalisme marocain. Aussi, lorsque ces Jeunes Marocains, alliés aux vieux turbans de Fès, réclament l'indépendance au sortir de la guerre, ils trouvent d'abondants subsides familiaux pour financer le mouvement, capitaux excédentaires que les intérêts coloniaux (ainsi que les capitaux français qui affluent) maintiennent à l'écart des affaires les plus rentables.

5. Exil du sultan et naissance de l'ALM

Au lendemain de la Seconde Guerre mondiale se succèdent au Maroc les résidents généraux Erik Labonne (mars 1946-mai 1947), puis les généraux Alphonse Juin (mai 1947-juillet 1951) et Augustin Guillaume (juillet 1951-juin 1954). Malgré une sensible libéralisation du protectorat sous E. Labonne, les nationalistes réclament l'indépendance, rejoints par le sultan lors de son discours de Tanger d'avril 1947. Si bien que la politique de la Résidence se durcit sous le général Juin. Il entend introduire une co-souveraineté franco-marocaine là où le traité de Fès reconnaît la souveraineté chérifienne. Débute alors la crise franco-marocaine.

Muni d'instructions très fermes pour réformer le protectorat en faveur de la France, le résident général ne relâche pas sa pression sur le sultan qui, par deux fois (décembre 1947 puis octobre 1951), tente en vain de passer directement par Paris. Il poursuit la grève du sceau, qui paralyse *de facto* le fonctionnement du protectorat. La Résidence lui lance, en février 1951, un ultimatum pour qu'il signe un dahir, sous la menace d'une conspiration animée par le pacha de Marrakech Thami el Glaoui. Cette violation du traité de Fès fait reculer tactiquement le sultan, mais, après avoir signé ce dahir, il reprend la grève du sceau. La « camarilla » qui avait monté le premier complot est désormais décidée à destituer le sultan. Elle trouva dans le résident Guillaume l'homme de la situation (Ch.-A. Julien, 1978).

Une nouvelle fois éconduit par Paris en 1952, le sultan se prononce clairement lors de la Fête du Trône du 18 novembre en faveur de « l'émancipation politique, totale et immédiate du Maroc ». Le compte à rebours de sa destitution est enclenché. Les émeutes ouvrières de décembre 1952 contre l'assassinat du syndicaliste tunisien Ferhat Hached servent de prétexte à l'administration coloniale pour démanteler les partis, la presse et les organisations syndicales nationalistes. L'Istiqlâl défait, le sort du sultan est scellé.

Le complot de 1951 est réactivé. Il réunit toutes les tendances hostiles à l'émancipation du Royaume, administration française et services de la Résidence en tête, mais aussi les « grands notables » musulmans qui tiennent le pays : pacha Glaoui en tête, chefs des confréries religieuses, traditionnellement méfiants vis-à-vis du sultan, et rassemblés par le chef de *zaouia* Abdelhaï el Kettani. Le 14 août 1953, une assemblée de notables réunie à Marrakech destitue Mohammed Ben Youssef et proclame à sa place son vieux cousin Mohammed Ben Arafa. Bien que des troubles meurtriers aient aussitôt éclaté dans plusieurs grandes villes contre la destitution du sultan, les conjurés entament leur marche vers Rabat. Mis devant le fait accompli, Paris exile le sultan déchu et ses fils le 20 août 1953 (en Corse puis à Antsirabé, à Madagascar).

Cette faute politique se retourne d'un seul coup contre le protectorat, désormais honni, et en faveur du « sultan de l'indépendance ». Une violence urbaine se répand durant deux années pendant lesquelles sont commis près de 6 000 attentats par une base en déshérence, qui finit par susciter un « contre-terrorisme » européen (on relève 761 morts marocains et 159 Européens dans les villes). Puis, en août 1955, alors que l'Algérie est entrée en guerre, une nouvelle forme de résistance se fait jour avec l'émergence d'une Armée de libération marocaine (ALM) qui passe à l'action dans le Rif et le Moyen-Atlas.

6. Le mauvais combat des caïds

Le protectorat français était divisé en sept régions, trois régions civiles (Casablanca, Rabat et Oujda), trois militaires (Meknès, Fès et Agadir) et une mixte (Marrakech). Le contrôle est exercé par les officiers des Affaires indigènes dans les régions militaires et par les contrôleurs civils dans les autres. Sous la tutelle des très puissants chefs de régions, contrôleurs civils et officiers des Affaires indigènes sont placés aux côtés des fonctionnaires makhzen. Ces pachas et caïds (un peu moins de 400 au Maroc en 1953) dirigent villes et tribus, sous la tutelle théorique du grand vizir (Premier ministre), conformément à la double structure administrative du protectorat (administration makhzénienne et cadres néo-chérifiens) (A. Ben Mlih, 1990).

Dotés de pouvoirs étendus (fiscaux et judiciaires), ils font régner l'ordre dans le pays, notamment dans les campagnes qui rassemblent 80 % des Marocains vers 1956. Reproduisant peu ou prou le système tribal, ces commandements, attribués aux fils de grandes familles soumises au protectorat ou aux officiers indigènes ayant servi dans l'armée française, permettent une sorte d'*indirect rule* à la britannique. Rétribués par l'impôt rural et les prélèvements en nature (notamment fonciers), ils ne coûtent rien à Rabat, et permettent de tenir l'essentiel du pays grâce à quelques centaines de fonctionnaires français, civils ou militaires. Cette politique des caïds a conforté les notables ruraux dans leur position de féodalité politico-agraire, intérêt bien compris de part et d'autre. Cela explique comment le régime, contesté dans les villes au début des années cinquante, a pu croire que le salut viendrait du « bon bled ».

La collusion entre le sultan et l'opinion nationaliste fut l'occasion d'un retournement d'alliances. Lorsque la Résidence décida de démettre le sultan, elle souffla aux pachas et caïds la menace qui planait sur leur pouvoir en cas de ruine du système en place. Soumis à l'autorité arbitraire du Makhzen et hostiles aux bourgeois nationalistes, les féodaux jouèrent le jeu des autorités coloniales en faveur d'un sultan inoffensif (Ben Arafa), garantie à la fois de leur potentat et de leur nouvelle richesse foncière. L'Istiqlâl rechercha en milieu rural les éléments susceptibles de briser cette Sainte Alliance, ce fut l'Armée de libération marocaine (ALM).

La seconde pétition, remise par le pacha Glaoui le 1er août 1953 au chef de la région de Casablanca Philippe Boniface, conspirateur en chef, portait la signature de 330 caïds et pachas (17 caïds s'opposèrent à la destitution) et de 5 cheikhs de confréries. Grisés par leur succès, les caïds procédèrent à des exactions dans le Moyen-Atlas, qui retournèrent l'opinion de certaines tribus contre « le sultan des Français ». Dans l'été 1955, l'ALM se structurait dans le Rif, passant à l'offensive le 1er octobre 1955, tandis que, depuis août, les premiers contacts avaient été pris à Aix-les-Bains entre autorités françaises et nationalistes. Les premiers ralliements de caïds au sultan déchu débutèrent. À la veille du retour d'exil du sultan à Paris fin octobre, le Glaoui en personne fit connaître son allégeance (le 25 octobre), suivi en quelques heures par la totalité des conjurés. Mohammed V était maître de l'heure, et le régime des grands caïds avait vécu.

7. La négociation de l'indépendance

Au cours de l'année 1954, la défaite française de Diên Biên Phû conduit aux accords de Genève (indépendance de l'Indochine). Dans la foulée, Pierre Mendès France résout la crise franco-tunisienne en accordant l'autonomie interne à la Régence. Le 1er novembre 1954 commence une insurrection dans les départements français d'Algérie. La question marocaine devient un véritable boulet lorsqu'éclatent, pour le second anniversaire de l'exil du sultan, des émeutes à Philippeville en Algérie et dans le Moyen-Atlas berbère, à Khénifra et Oued-Zem, provoquant des dizaines de morts chez les Européens et, en représailles, des milliers chez les Marocains. Le 22 août, le président du Conseil Edgar Faure convoque des représentants de toutes les tendances marocaines pour des pourparlers à Aix-les-Bains, où les nationalistes s'imposent comme les seuls vrais interlocuteurs. Le 28 août, au risque de faire éclater le gouvernement français, l'accord est trouvé sur le départ de Ben Arafa, et la nécessité de faire rentrer Sidi Mohammed à Paris.

Le général Catroux est envoyé début septembre à Antsirabé pour obtenir le consentement du sultan déchu sur les accords d'Aix-les-Bains, ce qui est fait. Ben Arafa démissionne le 1er octobre, laissant la place à un éphémère Conseil du trône (rassemblant le pacha Glaoui, le grand vizir el Moqri, et M'Barek Bekkaï pour le sultan). Le ralliement du pacha Glaoui au sultan précipite les événements. L'Istiqlâl réclame dès le 26 octobre le retour immédiat de M. Ben Youssef sur le trône. Dès son arrivée à Nice le 31 octobre, les entretiens s'engagent avec le gouvernement français. Le 6 novembre, à La Celle-Saint-Cloud, s'ouvrent des négociations en vue d'une « interdépendance » avec la France. Le sultan rentre au Maroc le 16 novembre 1955. Plus de 30 000 militants nationalistes l'acclament à l'aéroport de Rabat-Salé. Dans son discours du Trône, le 18 novembre, il proclame « l'avènement d'une ère de liberté et d'indépendance ».

Le 7 décembre 1955 est constitué le premier gouvernement du Maroc indépendant présidé par l'officier berbère M'Barek Bekkaï, chargé de négocier l'indépendance. L'effondrement de l'autorité administrative et la poussée de l'ALM accélèrent l'abolition du traité de Fès. L'indépendance est signée par la convention du 2 mars 1956. Le protectorat espagnol sur le nord du Maroc est abrogé le 7 avril suivant.

II / Mohammed V et l'Istiqlâl (1956-1961)

1. L'état des forces à l'indépendance

Dans la courte période qui va de l'indépendance, le 2 mars 1956, à la mort de Mohammed V en février 1961, se sont constitués les fondements mêmes du Maroc contemporain. Pendant ces cinq années, une véritable partie d'échecs s'est jouée entre le Palais et l'Istiqlâl, candidat au rôle de parti-État. Là où le Néo-Destour de Bourguiba a balayé la dynastie beylicale de Tunis, l'Istiqlâl, pourtant au faîte de sa puissance, a été éconduit des pleins pouvoirs, sans que le sultan n'use à son égard d'une coercition particulière. La bonne fortune de l'histoire a souri à un souverain fin politique, qui a accompli avec réussite les différentes étapes de sa mainmise totale sur le pouvoir.

Le retour d'exil a montré l'extrême popularité du sultan martyr. L'Istiqlâl avait associé son retour à la conquête de l'indépendance, si bien que les dirigeants du parti doivent accepter de ne pas contrôler le premier gouvernement chargé de négocier cette indépendance. D'entrée, le souverain gagne la confiance du Makhzen colonial (officiers marocains, pachas et caïds fidèles ou repentis), en nommant l'un des leurs, M'Barek Bekkaï, président du Conseil, poste qu'il occupe deux ans dans deux cabinets successifs. Ainsi s'esquisse l'alliance entre le Palais et la féodalité rurale, au grand dam des nationalistes (Lahcen Lyoussi, ancien caïd berbère fidèle à Mohammed V, devient ministre de l'Intérieur). Le souverain témoigne ainsi sa reconnaissance envers ceux qui, tout en ayant collaboré avec les Français, n'ont pas participé à la pétition du Glaoui. Cela est d'autant plus apprécié par ces hommes qu'ils veulent préserver leurs terres, et que la haine populaire s'est exacerbée à l'encontre de certains collaborateurs (lynchage du pacha de Fès Baghdadi et de ses hommes en plein Méchouar en novembre 1956).

L'armée française continue en 1956 d'entretenir près de 80 000 hommes dans le pays, tandis que le prince héritier Moulay Hassan, aidé par Mohammed Oufkir, met sur pied les Forces armées royales (FAR) dès le mois de mai 1956. Dotées de 15 000 hommes à cette date, puis de 30 000 l'année suivante, elles permirent d'intégrer goums, officiers coloniaux et soldats ralliés de l'Armée de libération marocaine (ALM), tout en dotant le Palais d'une force de frappe qui n'allait pas tarder à servir. C'est vêtus en kakis de l'armée française et en chantant *Vous n'aurez pas l'Alsace et la Lorraine* que les soldats des FAR défilent pour la Fête du Trône de l'indépendance à Rabat.

Face au Palais et à ses alliés de circonstance, l'Istiqlâl est taillé à l'échelle du pays. Parti urbain de 100 000 militants et dirigé en 1954 par une élite bourgeoise, le *hizb* (parti) se transforme en trois années en parti national de près de 1 million de membres, implanté dans l'ensemble du pays, y compris en zone rurale. Harangué par Allal el Fassi (de retour d'exil en août 1956), dirigé par son brillant secrétaire général Ahmed Balafrej, le parti fut pris en main par l'infatigable Mehdi Ben Barka. Celui-ci veut forger un parti de masse moderne et conquérir l'État. Le parti dispose d'un moyen de pression, l'ALM, décidée à bouter les soldats étrangers hors du pays et de tout le Maghreb (conformément à la déclaration de 1954 qui stipulait la poursuite de la lutte contre le colonisateur jusqu'à son départ de la région). Elle opère dans le nord du pays et étend son action dans le Sud. Dans les villes, le parti peut compter sur les 200 000 militants encartés à l'Union marocaine du Travail (UMT) de Mahjoub Ben Seddik (fondée en mars 1955), qui font alors corps avec le *hizb* (G. Ayache, 1993).

Cette force impressionnante oblige le Palais à concéder des pans importants de souveraineté, à commencer par l'Intérieur et les Affaires étrangères dans le second cabinet Bekkaï.

Mohammed V

Né à Fès en 1909, Sidi Mohammed Ben Youssef, troisième fils du sultan Moulay Youssef, n'était pas destiné au trône. Il devint pourtant le sultan Mohammed V par la *beï'a* (cérémonie d'allégeance) du 18 novembre 1927.

Fragile et élevé dans la plus stricte tradition au Palais de Meknès, le jeune prince ne reçut pas une formation moderne et bilingue comme les jeunes bourgeois de sa génération. Il fut éduqué en arabe par son précepteur algérien Mohammed Ma'meri, qui lui apprit aussi le français. Mais le sultan devait toute sa vie parler lentement cette langue. Les lacunes de son éducation ne furent comblées que par « les longues conversations avec ses visiteurs » et « surtout par la pratique du pouvoir » (Julien, 1978). La conscience de ces faiblesses devait pousser le sultan à accorder une grande attention à l'éducation de ses enfants.

C'est la Résidence qui avait poussé au choix de Sidi Mohammed, et elle s'en félicite lorsqu'il signe le « Dahir berbère » en mai 1930. Les nationalistes mobilisent contre ce texte, mais en même temps ils marquent leur attachement au sultan qu'ils font « roi »

(1933). Ce dernier promet de ne plus céder aux injonctions du protectorat. Le sort fait au sultan devint l'emblème de la sujétion coloniale dans laquelle est tombé le Maroc. De la conférence d'Anfa (Casablanca) avec Roosevelt en 1943 au discours de Tanger en 1947, le sultan tente d'élargir sa marge de manœuvre en s'appuyant sur l'extérieur.

Sa déportation à Madagascar le 20 août 1953 rend en deux ans la « crise marocaine » inextricable. Après les négociations de l'indépendance, le sultan fait un retour triomphal à Rabat le 16 novembre 1955. L'Istiqlâl a soulevé le pays en son nom, mais espère contenir le souverain dans une fonction honorifique. C'était compter sans le Makhzen, l'armée coloniale, les ennemis de l'Istiqlâl et Mohammed V. Patient et doté d'un remarquable sens politique, le roi (titre qu'il prit le 15 août 1957) réussit en cinq années à restaurer la prééminence des Alaouites au détriment de l'Istiqlâl. Lorsqu'il meurt le 26 février 1961, le péril majeur pesant sur le trône est circonscrit.

2. L'Istiqlâl se comporte en parti unique...

Quelques mois après l'indépendance, le contexte international surchauffe l'opinion nationaliste. Le 22 octobre 1956, l'arraisonnement par la France de l'avion marocain qui transporte Ben Bella à Tunis humilie le Maroc, et légitime les positions de l'ALM. En novembre, l'opération de Suez montre que le colonialisme tente de maintenir ses positions par tous les moyens. Le roi doit tenir compte de la situation, et écarte les membres les plus tièdes de son gouvernement en faveur de l'Istiqlâl.

Minoritaire dans le premier cabinet Bekkaï (déc. 1955-oct. 1956), l'Istiqlâl obtient dix sièges sur seize dans le second (oct. 1956-mai 1958). Le roi a dû tenir compte de cette force et se passer du parti de la *choura* (Parti démocratique de l'indépendance, PDI) de Belhassan el Ouazzani, rival minoritaire du *hizb*. L'Istiqlâl obtient l'Intérieur (Driss M'Hammedi) et les Affaires étrangères (A. Balafrej). Le retour d'Allal el Fassi en août relance le prestige du parti (dont il devient président), qui réclame la poursuite de l'indépendance nationale, arguant du fait que moins du cinquième du « Maroc historique » est libéré (discours du Caire du 28 mars 1956). A. el Fassi réclame tout le nord-ouest du Sahara (Mauritanie, Sahara espagnol, mais aussi de vastes étendues du Mali et de l'Algérie-Tindouf). Ce discours est porté par l'ALM qui mène des opérations de harcèlement des troupes coloniales espagnoles et françaises aux marges du pays. Plusieurs milliers d'hommes bien armés sont à la manœuvre, causant des pertes importantes à l'armée française.

À l'Intérieur, les hommes de l'Istiqlâl accaparent les fonctions de pouvoir judiciaire et de police. Les anciens caïds et autres féodaux se voient bousculés par les Istiqlâliens nommés par Rabat. Directeur général de la Sûreté nationale, Mohammed Laghzaoui se lance dans une politique de répression vis-à-vis des militants menaçant l'ordre public, notamment ceux de l'organisation urbaine Croissant noir (liée au Parti communiste marocain-PCM). Sur les 4 500 résistants recensés par l'Intérieur en 1956, 800 ont été liquidés par les services de Laghzaoui (Boukhari, 2002). L'homme joue de sa double affiliation, puisque ce militant de l'Istiqlâl, dont il avait été l'un des grands financiers sous le protectorat, est directement rattaché au Palais.

La présence de M. Laghzaoui à la tête des services de sécurité entretient une confusion entre le parti et l'État. Si bien que les victimes de la répression qui suit l'indépendance (PCM, PDI, ALM…) dénoncent la politique hégémonique du *hizb*. Cette confusion sert objectivement les intérêts du Palais. L'assassinat d'Abbas Messaadi, chef de guerre originaire de Tazarin dans le Sud, rallié au Palais dans l'été 1956, est imputé à l'activisme de Ben Barka (ce que Boukhari [2002] présente comme une manipulation des services). De même, des centaines de militants du PDI auraient été enlevés, torturés et assassinés, notamment au Dar Berricha (Tétouan). Telle est la thèse des militants du parti de la *choura*, défendue par son vieux leader slaoui, le fqih Maaninou, dans plusieurs écrits (Maaninou, 1987).

Le parti semble saisi par un vertige de puissance. Il contrôle, sous la présidence de Ben Barka, le Conseil national consultatif, que lui a concédé le roi. Pour son président, il s'agit d'une Constituante avant la lettre. Le roi, qui a promis une monarchie constitutionnelle et des élections démocratiques, tente de retarder les échéances, mais les dirigeants du parti ne sont pas inquiets, persuadés de leur proche victoire. Le roi dit tenir compte de cette puissance, mais tente de rester au centre du jeu politique.

Lorsque le caïd Addi Ou Bihi du Tafilalet entre en rébellion contre l'autorité de Rabat (c'est-à-dire de l'Istiqlâl) en janvier 1957, le roi envoie les officiers Kettani et Ben Aomar à la tête des FAR pour punir le rebelle, alors que celui-ci proteste de son respect du Trône. Si l'objectif, pour le Palais, est d'empêcher la réédition de la siba précoloniale, il s'agit surtout de montrer qu'il est garant de l'unité de l'État aux côtés du *hizb*. Le sort clément réservé à Addi Ou Bihi (le général Kettani lui donne l'*aman*), qui se rend sans combattre avec ses 40 000 hommes, et à ses condisciples montre que le Palais joue sur du velours, ménageant ses rivaux pour combattre ses alliés du moment. Néanmoins, Ou Bihi meurt empoisonné à l'hôpital Avicenne de Rabat quelque temps plus tard.

3. … Mais son action reste sous contrôle

En dépit de ses positions, l'Istiqlâl ne maîtrise pas la chaîne de pouvoir et de commandement. D'une part, le souverain constitue à ses côtés un Conseil de la Couronne, avec des membres prestigieux venus de différents horizons, comme Mokhtar el Soussi. Pour le roi, c'est l'organisme le plus important de l'État. D'autre part, les services de police et l'armée restent sous la double tutelle du Palais et des alliés occidentaux. À la tête des FAR, Moulay Hassan peut s'appuyer sur près de 1 millier de cadres et d'instructeurs français, tandis que 130 officiers supérieurs marocains ont été directement reversés de l'armée coloniale dans les FAR. Formés à l'école Dar el Beïda de Meknès comme Oufkir, ou à Tolède (général Ameziane), ces hommes sont d'une grande fidélité au Trône. Quels que soient leurs penchants nationalistes, ils se méfient des chefs de l'Istiqlâl, bourgeois lettrés perçus comme arrogants et pour lesquels ils sont les fourriers du colonialisme. À l'écoute de Moulay Hassan qui sait les flatter et les diriger, respectueux à l'égard de Mohammed V dont ils doivent se faire pardonner, ces officiers sont le soutien le plus fidèle de la monarchie. M'Barek Bekkaï, officier d'origine modeste issu de Berkane, blessé et amputé à Dunkerque en 1940, incarne cette fidélité sans état d'âme au trône alaouite (A. Bekkaï, 1999).

De même la Sûreté nationale, dirigée par le millionnaire de l'Istiqlâl, M. Laghzaoui, de 1956 à juillet 1960, est un pôle de sécurité pour le Palais. M. Laghzaoui bénéficie de l'aide de conseillers techniques détachés des services spéciaux français, et a tout intérêt à la prudence. Rattaché directement au Palais, il comprend son intérêt à faire preuve de sa fidélité au sultan. Ayant amassé une fortune colossale sous le protectorat, l'homme ne peut que regarder d'un œil suspicieux le discours de l'Istiqlâl qui se radicalise sous l'influence de Ben Barka. Au nom de l'anticolonialisme, ce dernier réclame la réforme agraire, le départ des militaires étrangers, la redistribution des biens et une révolution démocratique. Ce discours ne peut qu'effrayer les tenants de l'ordre, dans un pays livré aux règlements de comptes, et marqué par de nombreuses scènes d'une violence extrême contre d'anciens collaborateurs.

Ben Barka rassemble près de 12 000 Jeunes Marocains (à 90 % membres de l'Istiqlâl) dans son grand chantier de la route de l'Unité dans l'été 1957. Cette mobilisation s'opère sur un mode socialiste à la chinoise, qui effraye les possédants (Z. Daoud et M. Monjib, 1996). De la sorte le Palais, relativement isolé malgré son aura politico-religieuse, est rejoint par une quantité croissante de fidèles effrayés par la tentation hégémonique du *hizb*. Les caïds et autres notables de la terre, les officiers de la coloniale, les communistes et militants du PDI persécutés, les libéraux effrayés par le socialisme de Ben Barka (comme la petite garde du Parti libéral autour d'Ahmed Réda Guédira), tout ce monde s'associe au Palais pour contenir le parti et ses ambitions.

4. La réduction des oppositions armées

Après la soumission du gouverneur A. Ou Bihi, les troubles se déplacent à la fin de l'année 1957 au Sahara. Les éléments de l'ALM (dirigés notamment par Mohammed Basri) harcèlent les troupes espagnoles, et mènent des opérations aux confins de la

Mauritanie et de l'Algérie qui empoisonnent l'armée française. Leur objectif déclaré est de liquider la présence coloniale dans toute l'Afrique du Nord. Aidés et armés par l'Égypte de Nasser, en contact avec le FLN algérien, les quelques milliers d'hommes de l'ALM sont un foyer d'instabilité au flanc sud-ouest du Maghreb. Les FAR n'ont ni les moyens ni la possibilité d'entrer en conflit avec la prestigieuse armée de libération. Pour le Palais, cette force armée est une menace qui, à tout moment, peut servir le dessein de l'aile radicale de l'Istiqlâl, visant à prendre le pouvoir à Rabat (M. Monjib, 1992).

Sous le second cabinet Bekkaï, les armées espagnole et française montent de concert l'opération Écouvillon, qui va prendre en tenaille les éléments de l'ALM (M'Barek, 1987). L'Armée de libération marocaine est alors essentiellement stationnée dans le sud du pays. Si bien qu'en février 1958 la liquidation des forces opérationnelles de l'armée du Sud par les armées étrangères revient à la quasi-liquidation de l'ALM. Le bras armé de l'Istiqlâl est anéanti pour l'essentiel, au bénéfice du Palais, et sans que celui-ci ait eu à intervenir. Les FAR et les troupes étrangères stationnées au Maroc (encore 10 000 hommes en 1959) sont maîtresses du territoire marocain et de ses marges. L'accession de la Mauritanie au rang de République autonome au sein de la Communauté française en novembre 1958 enterre une revendication forte de l'Istiqlâl, après que Tarfaya au sud a été récupéré en avril.

Pourtant, au fil des mois, la menace de l'Istiqlâl grandit avec la perspective des élections communales. Le Palais joue alors des rivalités internes du *hizb* pour le neutraliser. Tel est le sens de la nomination du gouvernement Balafrej en mai 1958. Ce gouvernement, dit « homogène » parce que très istiqlâlien, est en réalité déséquilibré en faveur de l'aile monarchiste et conservatrice du parti. Représentée au gouvernement par le seul A. Bouabid, la gauche, autour de son aile syndicale et de ses leaders Ben Barka et A. Ibrahim, va se radicaliser devant la politique du gouvernement, et préparer la scission de janvier 1959.

La gauche acquiert son autonomie tandis que la dissidence intérieure reprend dans le Nord. Pour les mêmes raisons que dans le Tafilalet en 1957, et parce qu'une violente crise économique frappe le Rif, cette région traditionnelle de dissidence, où le souvenir d'Abdelkrim est encore puissant, entre en rébellion. Plusieurs caïds se révoltent contre Rabat et l'Istiqlâl, notamment le futur *amghar* (chef amazigh) Mahjoubi Aherdane, capitaine et gouverneur de Rabat, et son allié, le docteur Abderrahmane Khatib. Rapatriant dans le Nord le corps exhumé d'Abbas Messaadi assassiné en 1956, ils déclenchent une insurrection qui s'étend du Moyen-Atlas au Rif, région dans laquelle elle prend une dimension populaire. La menace est sérieuse pour le pouvoir, confronté à la double opposition de la gauche syndicale urbaine, et d'une insurrection populaire à haut risque dans le bled.

5. Le gouvernement Abdallah Ibrahim

Pour se dégager de la pression urbaine et régler le problème du Rif, le Palais renonce à la solution d'un gouvernement A. el Fassi. Il offre la présidence du Conseil à la gauche, en la personne d'Abdallah Ibrahim, leader de la tendance syndicale. Ce premier cabinet de gauche entre en fonction en décembre 1958, un mois avant la scission officielle de l'Istiqlâl, le 25 janvier 1959. Elle donne naissance à l'Union nationale des Forces populaires (UNFP). Mohammed V place le nouvel exécutif sous le signe de « l'exécution des programmes politiques (préparation des élections communales) et économiques » dont il a donné « l'orientation ».

Le dosage politique opéré par Mohammed V au sein du gouvernement est assez ambigu pour que les différents protagonistes aient une liberté de manœuvre limitée. La gauche istiqlâlienne (sur le point de devenir UNFP) détient à peine la moitié des postes. Les nationalistes fidèles au roi contrôlent la Défense, l'Intérieur, l'Éducation nationale, tandis que la Sûreté nationale reste sous l'autorité directe de Moulay Hassan et de M. Laghzaoui. En réalité, la gauche se contente des responsabilités économiques et sociales, une gageure dans un pays où les intérêts terriens (étrangers ou nationaux) sont intacts, interdisant une redistribution foncière. De surcroît, depuis 1957, les capitaux européens quittent massivement le pays, et la France a suspendu les très importants transferts financiers de la fin du protectorat (80 % du budget marocain en 1955). C'est pourtant dans le domaine économique que les ambitions réformatrices de cette gauche vont s'affirmer les plus novatrices.

Si la gauche procède à quelques réformes de structure (création de l'Université Mohammed V à Rabat en janvier 1959) et bénéficie de certaines opportunités nationales (sortie de la zone

Abdallah Ibrahim et la naissance de l'UNFP

A. Ibrahim est né en 1918 à Marrakech. Son père, formé au *msid* (école coranique), appartient à la classe moyenne des petits propriétaires commerçants. À l'instar de Mokhtar el Soussi, il est envoyé à dix ans à la *medersa* Ben Youssef de Marrakech. En 1943, il est *'alem* (docteur de la foi), ayant passé son diplôme à Rabat sous le contrôle du cheikh Mohammed Ben Larbi Alaoui. Parallèlement, il suit depuis 1934 des cours de français et d'anglais avec des professeurs français et marocains. Cette même année, il est emprisonné pour la première fois, à seize ans, pour menée nationaliste. En 1936, il devient membre du conseil national du Parti national (interdit cette même année), tout en étant engagé dans l'action syndicale. En 1937, il est exilé à Taroudant dans le Souss, dans le cadre de la répression du résident Noguès.

A. Ibrahim reprend son activité politique pendant la guerre. Il est l'un des 59 signataires du Manifeste de l'Indépendance (Istiqlâl) du 11 janvier 1944. Puis il s'inscrit à la Sorbonne en 1945 (date à laquelle il y a 70 étudiants marocains à Paris), où il reste jusqu'en 1949. À Paris, il est délégué de l'Istiqlâl, et prend à ce titre contact avec des parlementaires, journalistes et hommes politiques. Non bachelier, il s'entretient avec les professeurs de la Sorbonne pour pouvoir assister à leurs cours (psychologie générale, psychopathologie et philosophie — cours de Jean Val). À l'occasion, il rencontre A. Breton, J.P. Sartre et Aragon.

De retour au Maroc en 1949, il est rédacteur en chef de la revue de l'Istiqlâl *Al Alam* (l'étendard). Il est envoyé trois mois au Sahara en 1951 pour trouble de l'ordre public à Marrakech. À Rabat, en décembre 1952, il co-organise les grandes manifestations de soutien au syndicaliste tunisien assassiné Ferhat Hached. Emprisonné un an et demi, il est libéré en 1954. Ministre istiqlâlien de l'Information dans le premier gouvernement Bekkaï, il devient ministre du Travail dans le second. En rupture politique avec la vieille garde de l'Istiqlâl, il n'entre pas au gouvernement A. Balafrej. Poussé par Mehdi Ben Barka et Abderrahim Bouabid, il prépare, avec le soutien de l'Union marocaine du Travail (UMT) dont il est co-fondateur en 1955, la scission qui conduit à la création de l'UNFP en janvier 1959.

En décembre 1958, il est le premier président du Conseil de gauche du Maroc. L'expérience est brutalement interrompue par le roi en mai 1960. A. Ibrahim reste, sa vie durant, fidèle à la vieille UNFP, dont il est encore secrétaire général en 2002.

franc en décembre, rétrocession d'Ifni par le traité de Fès avec l'Espagne en janvier), elle supporte, à son corps défendant, l'impopularité liée à la répression dans le Rif. Alors que la crise du Rif s'est pratiquement apaisée en novembre 1958, qu'Aherdane et Khatib sont à Madrid, l'insurrection reprend de plus belle en janvier 1959. Les Beni Ouriaghel (tribu qui avait soutenu Abdelkrim) et leur chef Amezian prennent la tête de la *siba* (dissidence). Bien que ce soient le prince héritier, chef des FAR, basé à Tétouan, et le colonel M. Oufkir qui mènent la répression, elle est vécue dans le Rif comme celle du gouvernement de l'Istiqlâl-UNFP.

Moulay Hassan et A. Ibrahim entrent de concert dans el Hoceima « libérée » le 16 janvier 1959 après dix jours d'opérations très violentes qui pourraient avoir fait des milliers de morts (de 6 000 à 8 000 ?). Malgré cela, Aherdane et Khatib rentrent au Maroc, font reconnaître légalement leur formation politique, le Mouvement Populaire (février 1959). Créé contre le tandem Istiqlâl-UNFP sous couvert de « socialisme islamique », le Mouvement Populaire se présente comme le défenseur du monde rural (plus des trois quarts des Marocains), le défenseur du « berbérisme », mais il est avant tout soutien inconditionnel de la monarchie (Waterbury, 1975). Le pluralisme politique est installé au Maroc et signe l'échec du Parti unique.

6. Une tentative de planification économique

Alors que le gouvernement Ibrahim est au pouvoir, l'ordre colonial règne encore dans les campagnes. Face aux 6 000 exploitations coloniales (166 ha en moyenne), 90 % des familles paysannes sont dotées de moins de 2 ha (M. Monjib, 1992). Les deux tiers des actifs travaillent dans l'agriculture qui ne fournit qu'un tiers du PIB. Quant au secteur secondaire, spécialisé dans les mines (7 % du PIB mais le tiers des exportations) et les biens de consommation, il emploie 200 000 ouvriers et employés. L'industrie lourde est presque inexistante, et le pays dépend à 60 % de la zone franc pour ses échanges extérieurs. Or la situation se dégrade avec la fuite des capitaux. Le pays a consommé, dès 1959, la plus grosse partie de ses réserves monétaires de 1956.

Ministre de l'économie du gouvernement Balafrej, A. Bouabid avait mis sur pied un plan biennal de transition (1958-1959) pour préparer l'avenir. Entouré de spécialistes français et marocains, il élabore un plan quinquennal (1960-1964) pour sortir le Maroc du sous-développement. Le gouvernement Ibrahim lance ce plan, approuvé par Ben Barka et l'UMT. Il vise à consolider l'indépendance du pays (infrastructures de base et diversification des partenaires), à entamer une réforme agraire (récupérer les terres de la colonisation officielle — 330 000 ha — et des collaborateurs du protectorat), et à promouvoir la culture et la société (alphabétisation et formation professionnelle).

Mais cette politique économique s'applique dans des conditions difficiles. À la résistance du Palais, peu soucieux de voir se mettre en place un bouleversement économique et social — grève du sceau —, le gouvernement doit ajouter les effets de la sortie de la zone franc (décembre 1958). Quarante milliards de francs fuient le Maroc en sept mois (175 milliards en trois ans), obligeant les autorités à dévaluer la monnaie et annulant ainsi les effets positifs pour la population de sa réévaluation initiale. Des centaines d'usines ferment et les chantiers sont abandonnés un peu partout. Le gouvernement crée le dirham, monnaie nationale. Il nationalise la banque d'État du Maroc qui devient la Banque du Maroc et supprime le privilège de libre convertibilité de Tanger.

L'économie marocaine est en crise. Confronté à la colère des milieux d'affaires (notamment européens), à l'hostilité de la France gaullienne (qui punit au même moment la petite Guinée rebelle), le gouvernement engage le Maroc sur la voie de l'économie mixte. Des banques de développement sont créées (Banque nationale de développement économique-BNDE en 1959), tandis que le gouvernement attire des investissements lourds qui doivent préparer les bases d'une industrialisation (raffinerie de pétrole SAMIR). Dans le domaine agricole, le gouvernement parvient à récupérer 6 000 ha en 1959 puis 40 000 en 1960, ce qui ne suffit pas à établir une réforme agraire. Enfin, le tremblement de terre d'Agadir du 29 février 1960 (la ville est rasée — 15 000 morts) aggrave la situation.

Cette tentative de modernisation économique et sociale provoque trop de mécontentements pour être impunément conduite. Les conservateurs sont unanimes à la combattre, en particulier le prince héritier qui devient leur chef, et trouve un appui inattendu auprès de l'Istiqlâl. Le *hizb*, effrayé par la dérive socialiste de l'UNFP, finit par oublier son adversaire principal.

7. La défaite de l'Istiqlâl précède la mort de Mohammed V

Dans sa gestion de la situation politique, Mohammed V tient compte de la situation internationale. La guerre d'Algérie fait rage et le Maroc est en première ligne aux côtés du FLN dont il abrite l'armée des frontières à Oujda. Mais l'armée française continue de stationner dans le royaume. S'il accepte cette présence, le souverain marocain n'est pas hostile aux positions progressistes. Forgé dans l'anticolonialisme, il n'est effrayé ni par le tiers-mondisme ni par le panafricanisme, alors puissants dans le monde. Il laisse jouer à Ben Barka la carte anticolonialiste, à laquelle il donne des preuves de sympathie. À la tête du Groupe de Casablanca, parmi les pays qui préparent la Conférence de l'Unité africaine, le Maroc est opposé aux pays les plus alignés sur l'Occident. Mohammed V, ami des Algériens (ils sont alors 100 000 réfugiés dans des camps au Maroc), est du côté des progressistes lorsqu'il décore Patrice Lumumba.

Sur le plan intérieur, les choses sont différentes. Le roi défend pied à pied ses prérogatives et les intérêts du trône alaouite, faisant preuve de remarquables capacités tactiques. Il prend soin de préparer sa succession qu'il officialise en intronisant (une première) Moulay Hassan prince héritier en juillet 1957. Or ce dernier n'a pas les mêmes vues libérales que son père. À la tête des FAR et tuteur de la Sûreté nationale (*via* M. Laghzaoui), il épouse une vision très sécuritaire du pouvoir. Sa proximité croissante avec M. Oufkir (nommé directeur général de la Sûreté nationale en juillet 1960) accentue cette tendance.

Au fil des cinq années de règne de Mohammed V sur le Maroc indépendant, le prince héritier s'impose peu à peu comme le chef du camp antiprogressiste (M. Monjib, 1992). Il fait démanteler un premier complot supposé de l'aile radicale de l'UNFP dès le 15 décembre 1959. M. Basri et Abderrahmane Youssoufi sont arrêtés. Alors que les pressions s'accentuent sur la gauche radicale, Mehdi Ben Barka s'éloigne une première fois du Maroc en janvier 1960. Ces pressions poussent la base syndicale de l'UMT et le gouvernement Ibrahim à « se confronter » au Palais. Face à cette situation, le roi, à une semaine des élections communales — les premières élections du Maroc indépendant —, décide de renvoyer le gouvernement Ibrahim (23 mai 1960).

Le 27 mai, un nouveau gouvernement est constitué, dit « gouvernement royal » car il est dirigé par Mohammed V. En réalité, ce rôle est dévolu à son vice-président Moulay Hassan, suppléé par Ahmed Réda Guédira, leader du minuscule Parti libéral indépendant. Le roi réussit le tour de force de faire entrer au gouvernement A. el Fassi pour la première fois, aux côtés de Belhassan el Ouazzani du PDI et de M. el Soussi. L'Istiqlâl accepte d'être la force d'appoint du Palais (trois ministres) par hostilité viscérale à la gauche et à la dérive démocrate et socialiste de l'UNFP. Mais le *hizb* s'ampute ainsi de toute marge de manœuvre vis-à-vis de son rival principal, le Palais. Pour la première fois depuis 1956, il concède une rupture de l'équilibre en faveur de la monarchie. Avant même la disparition de Mohammed V, les jeux sont faits en faveur du Palais. Le nouveau règne peut commencer.

Le 29 mai, les élections communales sont remportées par l'Istiqlâl (40 %) et l'UNFP (23 %), malgré un mode de scrutin défavorable et le trucage électoral. Le roi est obligé de promettre des élections libres ainsi que la confection d'une charte fondamentale représentative avant la fin 1962. Le gouvernement procède aux affaires courantes (création des communes urbaines et rurales en juin 1960), bénéficie de l'aide de la France (qui en septembre 1960 promet de retirer définitivement ses troupes d'ici 1963), et laisse penser à l'Istiqlâl qu'il va rafler la mise lors des futures législatives. Un Conseil constitutionnel, nommé en novembre, présidé par A. el Fassi, est chargé de rédiger la Constitution (le Conseil national consultatif n'a pas été prorogé). L'Istiqlâl semble plus fort que jamais, et s'attache à étendre son réseau de pouvoir au détriment de l'UNFP (notamment au plan syndical par la création de l'UGTM, Union générale des travailleurs marocains). Pourtant, la dynamique à l'œuvre en faveur du Palais est enclenchée.

Le jeune roi Hassan II, qui succède à son père décédé le 26 février 1961, est à la tête d'un large réseau de pouvoirs, et d'un appareil répressif puissant et dévoué. La première Fête du Trône du nouveau règne a lieu le 3 mars 1961. Le roi est convaincu qu'il doit rétablir l'équilibre extérieur en faveur du camp occidental, préserver la stabilité intérieure et le conservatisme économique et social. La « révolution du roi et du peuple » entamée en 1953 a bien pris fin.

LA MONARCHIE DE HASSAN II
À L'ÉPREUVE (1961-1975)

III / Constitution et montée des périls
(1961-1975)

1. Hassan II fait voter la Constitution

À trente-deux ans à peine, Hassan II est roi du Maroc. Il bénéficie d'un véritable état de grâce, présentant au monde l'image d'un pays jeune (70 % des Marocains ont moins de trente ans). Le passage des générations semble alors s'incarner dans la trame historique. Certes, il n'est pas facile d'oublier la figure tutélaire de Mohammed V, véritable incarnation de la nation. Mais les pays occidentaux voient d'un bon œil l'avènement de ce roi qui ne fait pas mystère de ses amitiés occidentales. Il prend très vite ses distances avec le neutralisme incarné par le Groupe de Casablanca au sein de l'OUA, préparant ainsi le passage de témoin du progressisme à la République algérienne.

Inexpérimenté, le roi s'entoure dès son intronisation de personnalités à même de l'épauler. Son fidèle ami Ahmed Réda Guédira devient directeur du Cabinet royal, institution qui acquiert une importance essentielle dans le système autocratique de Hassan II. Épaulé par l'Istiqlâl d'Allal el Fassi, auquel il donne habilement des gages, le roi constitue le 2 juin 1961 un cabinet d'union nationale, exception faite de l'UNFP. L'Istiqlâl y voit le moyen d'encadrer l'action du jeune roi tout en écartant la menace populaire et socialiste de l'UNFP. A. Balafrej est ministre représentant personnel du roi, tandis qu'A. el Fassi est chargé des Affaires islamiques. Ils côtoient au gouvernement les hommes du roi, A. R. Guédira (Agriculture et Intérieur), M. Aherdane (Défense nationale) et même B. Ouazzani du PDI.

Ce gouvernement hétéroclite joue un rôle non négligeable pour contrer les idées de gauche. L'autorité religieuse, morale et

33

Portrait d'un jeune roi

Moulay Hassan est né le 9 juillet 1929 au Palais impérial de Rabat (Méchouar). Il est deuxième enfant et le premier fils du sultan Mohammed V et d'une de ses épouses, Lalla Abla, originaire du Haut-Atlas et offerte par le Glaoui à Mohammed Ben Youssef. Après sa formation au *msid* (école coranique) du Palais et son certificat d'études, son père songe à l'envoyer à l'École des Roches en Normandie. La guerre l'y fait renoncer. Il inaugure pour lui le 20 janvier 1942 le Collège impérial du Palais. Moulay Hassan n'est pas l'enfant cloîtré qu'avait été son père au palais de Meknès. Il circule librement dans Rabat (dont il fréquente les plages), et voyage avec son père (ainsi se rend-il à Paris en 1937).

Le futur Hassan II reçoit au collège une solide éducation sous le double regard de la Résidence et du sultan. Doté au départ de huit professeurs français et de cinq marocains, le collège est dirigé par M. Duval. Le sultan impose le Jeune Marocain Si Mohammed el Fassi comme professeur d'arabe (auquel succède Si Abdelhadi Boutaleb), le réformateur musulman Si Ahmed Bargach, professeur pour les humanités, et le jeune professeur de mathématiques Mehdi Ben Barka. « Le loup est dans la bergerie » et « le trio nationaliste est au complet », déplore la Résidence. L'équipe conduit le prince au baccalauréat en 1948.

Le prince héritier commence une licence de droit à Rabat, qu'il poursuit pendant quatre années à Bordeaux. Son séjour en France constitue à ce jour un blanc dans sa biographie. Licencié en droit en 1951, il prépare en 1952-53 un DES de droit (diplôme de troisième cycle) à la faculté de Bordeaux. De retour au Maroc, il est happé par l'histoire du complot ourdi contre son père. Le 20 août 1953, il est jeté dans un DC3 avec son frère Moulay Abdallah et le sultan à destination de la Corse. Deux ans d'exil commencent à Antsirabé (Madagascar) où la famille royale reproduit une petite vie de cour.

À partir de septembre 1954, le prince héritier prend part aux pourparlers engagés par le gouvernement français avec Mohammed V. Le 16 novembre 1955, il est associé au retour triomphal du sultan à Rabat. Chargé de missions officielles, il conduit en mai 1956 à Paris les négociations qui aboutissent à la création des Forces armées royales (FAR). Le 9 juillet 1957, jour de l'*Aïd el Kebir*, il est proclamé solennellement prince héritier. Dès 1958, il est chef d'état-major des FAR, à la tête desquelles il réprime l'insurrection du Rif. Jusqu'en 1961, il est chef d'État intérimaire à chaque déplacement de son père. Le 26 mai 1960, il est nommé vice-président du Conseil du gouvernement. Le 26 février 1961, le jour de la mort de son père, il est proclamé roi. Hassan II est intronisé le 3 mars 1961.

intellectuelle d'A. el Fassi, à la tête des Affaires islamiques, sert de caution au régime. Le jeune souverain, plutôt frivole et peu porté à la piété, recourt à l'aura religieuse du *'alem*. Celui-ci ferraille tout autant contre l'athéisme supposé de l'UNFP, que contre la licence des jeunes modernistes vis-à-vis de l'orthodoxie islamique.

Alors que l'UNFP continue de réclamer une Constituante, l'Istiqlâl préside la coquille vide du Conseil constitutionnel. A. el Fassi rappelle que la tâche prioritaire du gouvernement est d'élaborer la Constitution promise par Mohammed V. Mais Hassan II prend sur lui de publier une « loi fondamentale », sorte de Constitution provisoire. Le Maroc y est dit monarchie constitutionnelle appartenant à l'Afrique, dont l'islam est religion d'État et l'arabe langue officielle. L'Istiqlâl reçoit des gages sur l'intégrité territoriale, mais avoir accepté ce texte écrit par le Palais revient à un nouveau recul pour le parti.

Du 12 au 15 janvier 1962, lors de son VIe congrès, l'Istiqlâl manifeste son impatience. Mais le Conseil constitutionnel s'étiole et le parti perd toute prérogative sur la marche des affaires de l'État. En 1962, il critique l'autoritarisme et l'inaction sociale du régime et assiste impuissant au lancement du projet constitutionnel par le Palais. Rédigé par des constitutionalistes français (au rang desquels le futur doyen Vedel), le texte institutionnalise le roi « Commandeur des croyants » (article 19). Il n'y a pas de séparation des pouvoirs, puisque c'est le roi qui délègue les trois pouvoirs à des autorités. La Constitution est soumise à référendum le 7 décembre 1962. Boycotté par l'UNFP, mais avec le soutien de l'Istiqlâl, le texte est officiellement adopté par 97 % des votants (84 % des inscrits).

Fortifié par son statut de monarchie constitutionnelle et le visage avenant de ce texte, le Palais peut se passer de l'Istiqlâl. Les ministres du parti sont poussés à la démission le 27 janvier 1963. Ce départ permet au Palais de chasser le parti du bastion du ministère de l'Économie, d'améliorer ses relations avec ses voisins, mises à mal par le nationalisme du *hizb*, et de doter le pays d'une opposition modérée dans la perspective des élections futures. Le *hizb* passe à l'opposition pour près de quinze ans.

2. « Le fellah marocain, défenseur du Trône »

Le 29 mai 1960, les premières élections du Maroc indépendant dotent le pays de 10 000 conseillers communaux. Bien que près de 40 % d'entre eux se réclament du parti de l'Istiqlâl, le ministère de l'Intérieur se refuse à considérer leur affiliation partisane. Il s'agit en effet pour le Palais de proclamer l'apolitisme de cette nouvelle élite représentative, en très grande majorité rurale. Les élus de ces conseils communaux et municipaux (conseillers et présidents) sont soumis, d'après la charte communale, à l'autorité des représentants de l'Intérieur, pachas et caïds, au grand dam de l'Istiqlâl (motions du congrès du parti de 1962). Mais sachant que le *hizb* est appelé à quitter le gouvernement, et qu'il lui faut s'assurer du soutien d'une base sociologique et légitimiste, le Palais encourage dès 1962 les notables ruraux à relever la tête.

Les partis politiques contrôlés par le Palais, le Mouvement Populaire de M. Aherdane, puis le Front de défense des institutions constitutionnelles (FDIC) créé par A. R. Guédira le 20 mars 1963, servent de structure d'accueil à ces élus. Soucieux de garder leurs postes lors des élections de 1963, conscients du déclin de l'influence de l'Istiqlâl, encouragés par le Palais à réclamer une refonte de la charte communale et ménagés par les caïds qui reçoivent des instructions, une grande partie des conseillers et présidents prennent leurs distances avec les partis issus du Mouvement national. Se constitue alors dans les zones rurales (les trois quarts de la population) une élite composite, intégrant notables élus et fonctionnaires makhzéniens, de plus en plus recrutés localement, qui allait servir d'assise sociologique au pouvoir jusqu'aux coups d'État (1971 et 1972). Le fellah (c'est-à-dire le paysan, ici le notable rural) devient « le défenseur du Trône » (Leveau, 1976). Comme le protectorat déclinant, le Palais instrumentalise le « bon bled » contre la ville frondeuse.

Le 17 mai 1963, cette alchimie fonctionne encore mal lorsque surviennent les premières législatives de l'indépendance. La séduction des élites rurales ainsi que la mise sur pied du FDIC laissent penser au pouvoir (et notamment à A. R. Guédira) que les élections vont signer la défaite de l'Istiqlâl et de l'UNFP. Mais l'enracinement du *hizb* a été trop puissant pour s'effacer d'un coup, tandis que la base populaire de l'UNFP est une réalité (aussi bien dans le Souss qu'à Casablanca ou Rabat). La défaite électorale du FDIC est cinglante : il n'obtient que 36,5 % des voix, contre 56,5 % à l'opposition (dont 32 % pour l'Istiqlâl et 24,5 % pour l'UNFP). Ce camouflet pour le Palais est d'autant plus lourd que l'administration n'a pas ménagé son soutien en faveur du FDIC en zone rurale. A. R. Guédira connaît une disgrâce temporaire. Les autorités procèdent le 7 juin à l'arrestation de 5 élus de l'Istiqlâl et activent la répression du complot de 1963.

3. Vers l'ère des complots

En décembre 1959, un premier complot a été monté par les services de M. Laghzaoui pour décapiter l'aile gauche de l'UNFP. Mais les choses prennent une autre tournure au lendemain du succès de l'opposition aux législatives. L'UNFP est devenue l'adversaire principal du régime, et le pouvoir s'est doté des moyens de la combattre (réorganisation des services spéciaux par M. Oufkir — à la tête de la Sûreté nationale depuis avril 1960 — et la CIA). Le triomphe électoral et la popularité de M. Ben Barka décident le pouvoir à abattre cet adversaire.

Le Cab 1 (ou cabinet n° 1) a été créé en 1960, année pendant laquelle il devient un véritable service de renseignement avec la coopération d'une poignée d'experts américains (Boukhari, 2002). Il compte 200 hommes et est divisé en 6 départements (contre-subversion, contre-espionnage, opérations techniques etc.). Ce n'est pas le seul service de renseignement du Maroc, mais il se révèle le plus efficace pour assurer la pérennité du régime, laquelle, à l'heure de la guerre froide, apparaît indispensable aux yeux des pays occidentaux.

Le complot supposé de décembre 1959 avait conduit une poignée d'activistes en prison, et pousse M. Ben Barka à s'éloigner du Maroc. En 1963, il s'agit cette fois de démanteler l'opposition de gauche. En effet, à partir de 28 juillet, cinq scrutins électoraux doivent déterminer la composition de la seconde Chambre du Parlement. Ayant perdu le contrôle de la première Chambre, le pouvoir est décidé à arrêter le processus.

Depuis plusieurs mois, le Cab 1, bien informé sur la vie des partis politiques et des syndicats, suit la préparation d'un complot contre le roi. Monté par deux membres fondateurs de l'Armée de libération marocaine, Ahmed Agouliz (*alias* Cheikh el Arab) au Maroc, et Mohammed Basri (dit Le fqih) en Algérie, le complot consistait, semble-t-il, à créer des cellules combattantes dotées d'armes en provenance d'Algérie. D'après A. Boukhari, le Cab 1 a gonflé l'opération, fournissant aux comploteurs des armes détournées de la base américaine de Kénitra (ex-Port Lyautey).

Le 16 juillet 1963, environ 5 000 militants de l'UNFP et du parti communiste (PCM) sont arrêtés. Bien qu'une centaine de personnes seulement aient été impliquées, la police de M. Oufkir en profite pour dévaster le parti de l'UNFP. La rafle est très large à Casablanca, citadelle ouvrière du parti, mais aussi dans le

Souss (800 arrestations). Parqués dans des lieux de détention comme Dar el Mokri à Rabat, de nombreux prisonniers sont soumis à des interrogatoires plus que musclés. La majorité des prisonniers est relâchée quelque temps plus tard, mais de nombreux militants restent en prison ou disparaissent. Deux cents personnes comparaissent devant les juges du 26 novembre 1963 au 14 mars 1963.

Cent deux d'entre elles sont accusées d'atteinte à la sûreté de l'État, parmi lesquelles fqih Basri, condamné à mort, de même que M. Ben Barka, M. Bensaïd, Hamid Berrada et Cheikh el Arab, condamnés par contumace. Ayant fui en Algérie, ils y créent une direction provisoire de l'UNFP à l'étranger. Au Maroc, le parti est entré dans une phase de décomposition, ce qui permet au FDIC de remporter les élections pour la deuxième Chambre et les communes. Pour reprendre la lutte, Cheikh el Arab rentre dans l'hiver 1964, suivi par un groupe de 80 militants armés, tous attendus par la police marocaine. Au terme d'une traque de plusieurs mois, qui coûte la vie à plusieurs membres des forces de l'ordre, Cheikh el Arab tombe au cours d'une fusillade le 7 août 1964 à Casablanca.

4. La guerre des sables (1963)

À l'heure de la guerre algérienne de libération, le Maroc de Mohammed V soutient le Front de libération nationale (FLN). Le Maroc indépendant ne négocie pas le tracé de sa frontière saharienne avec la France, il s'engage à le faire avec le gouvernement algérien indépendant. Pourtant, la France entend conserver sa souveraineté sur le Sahara, où elle vient de faire exploser sa bombe atomique à Régane, et de découvrir du pétrole en abondance. Le parti de l'Istiqlâl n'en exprime pas moins ses visées annexionnistes sur la région saharienne de Tindouf (Colomb-Béchar).

Dès le 5 juillet 1962, date de l'indépendance de la République algérienne, des incidents frontaliers éclatent sur les « confins algéro-marocains ». Ils sont dénoncés dans *Al Tahrir* (organe de l'UNFP) comme une tentative « d'affaiblir la révolution algérienne ». Cette tension s'explique par le fait que la France a renoncé au Sahara (formellement tout au moins), et que le gouvernement algérien s'empresse de proclamer l'intangibilité des frontières coloniales (conformément à la charte de l'OUA).

Durant l'année 1963, la tension rebondit entre les deux pays, surtout quand les socialistes pourchassés lors du complot se réfugient à Alger. En juillet, les FAR sont harcelées sur la frontière. Cela permet à M. Oufkir de dénoncer le lien « avéré » avec les comploteurs marocains, et d'expulser soixante Algériens sur-le-champ. En septembre, le régime du parti unique est proclamé à Alger, ce qui entraîne une vive tension en Kabylie. Le pouvoir marocain exploite la situation pour donner une leçon à l'Armée de libération algérienne, aux équipements encore embryonnaires. Le 14 octobre 1963, les FAR attaquent dans le sud de la région. C'est la « guerre des sables ». Le 16 octobre, M. Ben Barka dénonce au Caire sur *Saout el Arab* (La voix des Arabes) « la guerre d'agression contre la République algérienne et démocratique », son de cloche confirmé à Alger par le président en exil de l'Union nationale des étudiants marocains (UNEM) Hamid Berrada.

Les colonels Oufkir et Ben Aomar, ayant attaqué respectivement près d'Oujda et dans la région de Tindouf au sud, remportent rapidement les premières victoires à la tête de leurs blindés. Après une médiation de l'empereur éthiopien Haïlé Selassié, Hassan II impose un cessez-le-feu le 2 novembre 1963. On peut toutefois imaginer que l'armée française, lourdement présente au Sahara qu'elle tient encore *de facto*, a discrètement imposé l'arrêt des combats au Sahara. La non-annexion de Tindouf par le pouvoir marocain, alors que la population marocaine est galvanisée, ne trouve pas d'autre explication raisonnable. Le 11 mars 1964, 375 prisonniers algériens sont échangés contre 52 marocains.

De la sorte, Hassan II s'est assuré pour plus de dix ans la stabilité sur la frontière orientale du Maroc, tout en rehaussant le prestige des FAR.

5. L'armée, colonne vertébrale du régime

En choisissant M'Barek Bekkaï comme premier président du Conseil, Mohammed V montre l'importance qu'il accorde aux cadres militaires. Les officiers marocains des armées coloniales (française et espagnole) constituent à l'indépendance le seul véritable corps constitué au sein du nouvel État, susceptible de surcroît de contrôler la situation. Mohammed V déplora que la France ne lui ait laissé qu'un seul administrateur de haut rang face à plusieurs dizaines d'officiers supérieurs d'active. Il n'en utilisa pas moins avec constance cette force sociale, militaire et politique qui manifeste alors un loyalisme sans faille au Trône. Les politiciens de l'Istiqlâl, émanation de la bourgeoisie urbaine, inspiraient autant de méfiance au Palais qu'à ces officiers, berbères pour la plupart, accusés d'avoir collaboré avec le protectorat. Enfin, le discrédit qui s'était abattu sur les centaines de caïds et pachas ayant trempé dans la conspiration de 1953 laissa en première ligne les officiers coloniaux, devenus l'armature des FAR.

Le prince héritier Moulay Hassan est chef d'état-major général des FAR dès leur création en mai 1956. Il s'attacha la sympathie et la fidélité des officiers supérieurs, notamment du chef d'état-major, le général Hammou Kettani, premier officier ayant accédé au grade de général dans l'armée française, ainsi que du général Mohammed Ameziane (ancien gouverneur des îles Canaries, le plus gradé des officiers marocains). Avec les commandants M. Oufkir et D. Ben Aomar, Moulay Hassan participa à la réduction des troubles qui avaient éclaté dans le Maroc indépendant. Le prince s'attacha particulièrement à la personne de M. Oufkir, qu'il fit directeur de la Sûreté nationale dès le 13 juillet 1960.

Les effectifs des FAR passent de 15 000 hommes à leur création (dont 10 000 fantassins) à 57 000 en 1971 (dont 4 000 hommes dans les forces aériennes et 1 500 dans la marine) (el Merini, 2000). À ces forces s'ajoutent les paramilitaires de la Gendarmerie royale et des Forces auxiliaires chargées du maintien de l'ordre intérieur. Parallèlement, les forces armées étrangères quittent progressivement le pays. Les 90 000 hommes de l'armée française achèvent leur retrait à la veille de l'intronisation de Hassan II, le 2 mars 1961 (retrait que le gouvernement Ibrahim n'avait jamais pu obtenir). Les 70 000 hommes des forces espagnoles évacuent la zone Nord à la fin du mois d'août 1961. Néanmoins, le démantèlement des bases américaines occupées depuis 1950 (base navale de Kénitra), entamé en 1963, ne fut que partiel.

La carrière d'Oufkir, jusqu'à sa mort en 1972, illustre à quel point l'armée est devenue la colonne vertébrale du régime dans les années soixante. Si le roi s'appuie politiquement sur les fellahs contre les partis issus de l'Istiqlâl historique, il se repose entièrement sur l'armée et les services de sécurité pour mater les forces qui combattent ou veulent renverser le régime par la

Mohammed Oufkir

Né en 1920 à Boudnib dans le Tafilalet, Mohammed Oufkir est le fils d'un pacha berbère qui revendique une origine chérifienne. À la mort de son père en 1936, son instituteur l'envoie au collège berbère d'Azrou, qui vise à former une élite fidèle au protectorat. Enfant calme, M. Oufkir y est bon élève.

Engagé volontaire en 1939, il est admis à l'École militaire des officiers de Dar el Beïda de Meknès. Sous-lieutenant de réserve le 1er juillet 1941, il est cantonné à Taza jusqu'en janvier 1944. Le bon vivant apprend la vie de garnison. Le 4 février 1944 commence sa campagne d'Italie au sein du 4e régiment de tirailleurs marocains (RTM). Le sous-lieutenant Oufkir est un soldat apprécié de ses chefs. Blessé de guerre, il est décoré et rentre à Taza. En 1947, Oufkir se porte volontaire pour l'Indochine où il passe 28 mois. Soldat baroudeur et « extrêmement brillant au feu », Oufkir est à nouveau décoré et est promu capitaine à vingt-huit ans.

De retour au Maroc en 1949, il intègre à Rabat le cabinet militaire du général Duval (dont il est numéro deux d'octobre 1952 à mars 1953). Il a accès à tous les dossiers, au centre d'une toile qui relie Paris, la Résidence, le Palais et les différents services. Le 24 avril 1952, il épouse Fatima, jeune fille de seize ans, fille d'un colonel des spahis, dont il aura six enfants.

En avril 1953, Oufkir devient aide de camp du résident général Guillaume, l'homme qui destitue le sultan. Oufkir est le contact entre la Résidence et les nationalistes, auxquels il aurait été chargé de proposer de constituer un gouvernement républicain. Il rencontre Ben Barka à plusieurs reprises en 1955. Le 16 novembre 1955, il est aux côtés du sultan de retour d'exil. Il est alors ce « lien, voulu par la France et accepté par Mohammed V » (S. Smith, 1999).

À l'indépendance, Oufkir s'impose comme l'un des principaux officiers des FAR. Il réprime la révolte du gouverneur Ou Bihi en 1957 puis mate l'insurrection du Rif en 1958 sous les ordres du prince héritier. Il devient l'ordonnance de Mohammed V et met à jour un premier complot en 1960. Le 13 juillet, il est nommé directeur de la Sûreté nationale et devient l'homme fort du régime de Hassan II. En 1963, il démantèle le complot de l'UNFP et se porte en tête de l'offensive dans la guerre des sables. Nommé général, puis ministre de l'Intérieur en août 1964, il est l'homme lige des relations avec le Mossad et les services français. Il reprend Casablanca aux insurgés en mai 1965.

En 1965, il organise l'enlèvement de Ben Barka, ce qui lui vaut condamnation à perpétuité en France. Après 1968, il combat les syndicats, l'UNFF et les gauchistes. Il reprend le contrôle de Rabat et de l'armée après le premier coup d'État. Nommé ministre de la Défense nationale, il assiste à la montée de Dlimi. Le 16 août 1972, il est abattu après l'échec de son coup d'État. Le Palais évoque « un suicide de trahison ».

violence (Algérie, UNFP, émeutes populaires, et bientôt une partie de l'armée elle-même). En août 1964, une semaine après la mort de Cheikh el Arab, les généraux Oufkir et Ameziane deviennent respectivement ministres de l'Intérieur et de la

Défense. L'armée a rendu possible le « pouvoir personnel » du roi à partir de 1965.

6. Ben Barka à la manœuvre

Alors qu'il dénonce l'agression marocaine contre l'Algérie au Caire en octobre 1963, M. Ben Barka est déjà engagé dans une action qui excède de loin son opposition au régime marocain. Au Maroc se prépare le scénario des années soixante-dix, où le régime soude l'opinion nationaliste contre l'ennemi algérien, afin de pousser l'opposition radicale dans une posture anti-nationale. L'Istiqlâl, dès le 11 novembre 1963, offre ses services pour revenir au gouvernement. Certains dirigeants de l'UNFP se démarquent en privé de Ben Barka. Mais ce dernier n'a que faire de ces atermoiements, dans la mesure où il consacre les dix-huit derniers mois de sa vie à la construction d'une structure anti-impérialiste mondiale.

En 1964, M. Ben Barka devient le « commis voyageur de la révolution » (Daoud, Monjib, 1996). Il est conseiller politique officieux du président algérien Ben Bella et de l'Égyptien Nasser. Il suit les affaires africaines (Congo, Afrique du Sud, Ghana…), proche-orientales (discussion avec les baâsistes en Irak et en Syrie), mais se rend aussi en Asie (Vietnam). Pour porter sa « lutte des classes contre l'impérialisme », il fonde *La Revue africaine*, qui vise à élaborer une « stratégie authentiquement révolutionnaire ». Enfin, il ouvre sa réflexion sur la Tricontinentale (association des trois continents du tiers monde), qui doit promouvoir une stratégie mondiale de développement, pour dépasser l'indépendance politique formelle des États dominés et le néo-colonialisme (Gallissot, Kergoat, 1997).

Face à cet activisme, Hassan II, bien qu'ayant contribué à dissoudre le Groupe de Casablanca, ne reste pas inerte. Il maintient des relations avec la Chine populaire, se rend au sommet arabe du Caire en janvier 1964 et renoue avec l'Algérie (reprise des relations diplomatiques dès février 1964). Quatorze conventions et protocoles sont signés entre les deux pays en 1964, signifiant ainsi que le Maroc reste un pays progressiste au plan international.

Mais, face à l'activisme de Ben Barka, le pouvoir marocain est nerveux. Ben Barka fonde à Alger, où il réside durant six mois en 1964, une école de cadres pour militants du tiers monde.

Mehdi Ben Barka

Né en 1920 à Rabat dans une famille modeste originaire du Sahara (son père était charbonnier dans un quartier populaire de la ville), Mehdi Ben Barka est élève au *msid* puis à l'école primaire française. Brillant élève, il rentre en 1934 au collège musulman Moulay Youssef. Collégien, il est l'un des plus jeunes militants du Parti national créé en 1936. Bachelier mathélem mention « très bien » en 1938, il est orienté sur Alger à cause de la guerre. Boursier du protectorat, il est en 1942 le premier licencié marocain musulman de mathématiques. De retour à Rabat, il est professeur de mathématiques au lycée Gouraud et au Collège impérial, où il enseigne à Moulay Hassan.

En 1944, il est signataire du manifeste de l'indépendance du 11 janvier. Arrêté par la police française, il est incarcéré puis relâché en 1945. En 1948, il est directeur administratif du Comité exécutif de l'Istiqlâl, il se marie à la fille d'un petit notable de Rabat, Ghita Bennouna. Il aura quatre enfants de ce mariage. Il est arrêté à nouveau en 1951 et banni dans le sud du Maroc. Libéré fin 1954, il est l'un des interlocuteurs nationalistes du protectorat. Il participe à la délégation de l'Istiqlâl à Aix-les-Bains. Au Maroc, il met sur pied la « Jeunesse militante », milice de son parti.

Le 16 novembre 1955, le secrétaire exécutif de l'Istiqlâl dirige le service d'ordre qui encadre la foule massée pour le retour du sultan. Le 18 novembre 1956, Ben Barka est élu président du Conseil national consultatif. Au fil des mois, il entre en dissidence vis-à-vis

d'A. el Fassi. Il critique la politique improvisée d'arabisation, réclame l'élection d'une Constituante, la mise en place d'une réforme agraire, l'évacuation des troupes étrangères et la modernisation économique. C'est sur cette base qu'il prépare, avec A. Bouabid, la scission du parti de 1959.

Socialiste et anti-impérialiste, l'UNFP est l'avocat des peuples en lutte. Ben Barka est élu président de la commission politique de la Tricontinentale en 1960. Au plan intérieur, il s'oppose à la politique du régime et considère que la « révolution nationale » doit dépasser « l'indépendance formelle du Maroc ». Ses idées sont présentées dans « L'Option révolutionnaire », rapport présenté au deuxième congrès de l'UNFP en mai 1962.

Ayant échappé à une tentative d'assassinat sur la route Casablanca-Rabat en novembre 1962, il appelle au boycott du référendum de la première Constitution marocaine. Désavoué par le résultat, il laisse l'UNFP se présenter aux législatives de mai 1963. Les élections sont gagnées (il est élu député du quartier populaire de Yacoub el Mansour à Rabat). Mais l'UNFP est démantelée en juillet suite à la découverte d'un complot. Après avoir quitté le Maroc, il s'en prend au régime alaouite qui a « agressé » la République algérienne. Condamné à mort par contumace en 1964, il est rappelé par le roi au lendemain des émeutes de mars 1965 à Casablanca. Traqué par les services d'Oufkir, Ben Barka est enlevé en plein Paris le 29 octobre 1965. Il est exécuté et peut-être rapatrié en secret au Maroc.

Or des milliers de Marocains séjournent dans la capitale algérienne, étudiants, anciens de l'ALM, expulsés, résistants…, qui constituent à terme un péril pour le régime. Si Ben Barka n'est pas favorable à une prise du pouvoir violente au Maroc, les manœuvres du fqih Basri et de Cheikh el Arab inquiètent. À tel point que, dès l'été 1964, Ben Barka fait quitter le Maroc à sa famille pour Le Caire, et qu'il essuie une nouvelle tentative d'assassinat par les services marocains à Alger à la fin de l'été. Il participe à la Conférence des non-alignés, en octobre 1964 au Caire, revient à Alger pour un séminaire afro-asiatique en février 1965, où il rencontre Che Guevara.

7. La dégradation économique...

Le Maroc souffre d'une régression rapide de l'investissement privé, et, dès 1964, du tarissement des investissements directs extérieurs. On assiste à une décapitalisation extérieure nette due aux rapatriements de capitaux vers la France, désormais engagée dans l'aventure européenne (même si l'aide au développement compense le mouvement).

Le gouvernement Ibrahim prend en compte cette baisse avec l'établissement du plan quinquennal qui vise à la compenser par une hausse des investissements publics. Mais une fois ce gouvernement renvoyé, les réformes de structures ne sont pas appliquées et l'intervention publique est faible. En l'absence de réforme agraire, préalable nécessaire au développement économique (comme le montrent les exemples de Taïwan ou du Mexique), la croissance ne s'enclenche pas. La productivité agricole reste médiocre, les revenus individuels stagnent, l'épargne ne progresse pas. Les secteurs clés échappant au contrôle de l'État, les organismes créés pour favoriser l'industrialisation, comme le Bureau d'études et de participations industrielles (BEPI), sont sans influence dès 1961. Quant à la Banque nationale de développement économique (BNDE), elle passe sous contrôle étranger, se limitant à l'action classique d'une banque privée, très loin du rôle joué par la National Financiera au Mexique.

Pour faire preuve d'initiative économique, les autorités lancent en juin 1961 la campagne de la Promotion nationale. Définie par A. R. Guédira comme un instrument de développement économique, elle fait écho à la thématique maoïste de la route de l'Unité, et appelle à la « mobilisation des masses ». Mais derrière le slogan, la Promotion nationale n'utilise qu'une partie infime de la main-d'œuvre théoriquement disponible (4 %

du potentiel de travail non utilisé dans les campagnes, Belal, 1980). L'opération se solde par une faible rentabilité, d'autant que ses travaux s'exercent dans des secteurs improductifs (travaux d'édilité…) ou à rentabilité lente (reboisement). L'industrialisation est remise à des jours meilleurs.

De la sorte, après la vive croissance économique de la fin du protectorat, le Maroc s'engage dans une décennie de croissance faible (à peine plus de 2 % dans les années soixante). L'expansion démographique (2,8 %) est supérieure à la croissance. Le Maroc connaît jusqu'en 1968 un processus de stagnation économique (le PIB par habitant est plus faible en 1964 qu'en 1954), à contresens de la tendance mondiale, y compris pour les pays du tiers monde. De plus, les carences du développement sont énormes.

Au milieu de la décennie, le Maroc est loin d'avoir inversé son passif éducatif. Avec 89 % d'analphabètes, il devait engager une politique radicale de scolarisation. Cet effort est fourni à l'indépendance, mais rapidement le processus de généralisation de l'éducation primaire s'essouffle. En 1964, près de 45 % des enfants âgés de sept à quatorze ans sont scolarisés, pourcentage qui devait stagner durablement. Cette conjonction entre la stagnation économique et le piétinement de la scolarisation allait mettre le feu aux poudres dans la grande ville de Casablanca.

8. …Conduit à l'émeute (Casablanca, mars 1965)

Dans cette conjoncture médiocre, les familles surinvestissent dans la promotion par l'école pour leurs enfants. L'entrée de plus de 200 000 jeunes gens dans l'administration depuis 1956, pour remplacer les Européens et les juifs marocains sur le départ (la moitié des premiers et les deux tiers des seconds ont quitté le pays en 1965 — A. Bensimon, 1991), a montré aux parents que le diplôme est gage d'ascension sociale. Mais la saturation de l'État national est proche (les fonctionnaires marocains musulmans sont 250 000 en 1965, dix fois plus qu'à l'indépendance), et les autorités essayent de désamorcer la machine scolaire.

En mars 1965, une circulaire de l'Éducation nationale, qui limite le passage du premier au second cycle de l'enseignement secondaire, jette dans la rue de la capitale économique des centaines de lycéens le 22 mars 1965. Rejoints par des milliers de parents d'élèves, de jeunes chômeurs et autres pauvres des bidonvilles, les lycéens déclenchent le 23 mars une émeute qui tourne à l'insurrection. Des barricades sont dressées dans Casablanca, des autobus, des banques et commissariats brûlés, signifiant l'ampleur des frustrations accumulées depuis l'indépendance. Des combats de rue opposent manifestants et forces de l'ordre, tandis que la révolte gagne les autres grandes villes du royaume.

La répression est à la mesure de l'émeute. Elle commence le 23 mars. M. Oufkir prend en main la reconquête de la ville, commandant les opérations depuis un hélicoptère. Il y faut trois jours de violences, qui feront des centaines de morts. Cette émeute urbaine fut la première d'une longue chaîne qui dure jusqu'en 1990. La classe politique est tétanisée devant l'ampleur de la violence. Lorsqu'il s'adresse au peuple le 29 mars, Hassan II s'en prend autant au peuple qu'aux parlementaires. « Il n'y a pas de danger aussi grave pour l'État que celui d'un prétendu intellectuel. Il aurait mieux valu que vous soyez des illettrés ! » dit-il, livrant au passage la clef de la politique éducative menée ultérieurement (Vermeren, 2002).

Mais au-delà des dégâts humains (plus de 1 500 morts selon Boukhari — contre 70 officiellement — et 2 000 personnes jugées), les conséquences politiques de l'événement sont très importantes. Le roi prend langue avec l'opposition. L'UNFP exige la dissolution du Parlement et de nouvelles élections, tandis que la majorité parlementaire se divise. Le roi, après avoir gracié et libéré les militants de l'UNFP condamnés en 1964, propose à Ben Barka de revenir au Maroc (« J'ai une équation à résoudre au Maroc »). Méfiant, le leader de l'UNFP pose ses conditions (que la grâce royale le concernant soit inscrite au *Journal officiel*), et repousse son retour, malgré plusieurs médiations.

Que l'appel à Ben Barka ait été sincère ou non, que l'enlèvement du leader socialiste ait déjà été projeté ou non, toujours est-il que le roi proclame le 7 juin l'état d'exception. Le Parlement, jugé incompétent, est renvoyé, ce qui satisfait le peuple et une large frange de l'UNFP, et le roi promet une révision constitutionnelle. En réalité, le Maroc vient de s'engager dans une phase de pouvoir personnel pour plus de cinq ans. Le roi détient les pouvoirs exceptionnels (article 35 de la Constitution). Ce tournant signifie la victoire définitive du Palais sur le mouvement national.

IV / État d'exception
et effervescence politique (1965-1972)

1. La disparition de Mehdi Ben Barka
   devient une affaire d'État

Au lendemain du 7 juin 1965, M. Ben Barka écrit un texte intitulé « Bilan dramatique de la situation économique et sociale en 1965 ». Persuadé que l'UNFP doit se transformer en « instrument de la Révolution » (Z. Daoud, 1996), Ben Barka se serait laissé convaincre de rentrer à Rabat en octobre. Alors qu'au Maroc A. Bouabid maintient le contact avec le roi, Ben Barka poursuit ses activités internationales. Il est reçu avec tous les honneurs dans de nombreux États du tiers monde. Les 1er et 2 septembre, il est au Caire pour préparer la Tricontinentale, conférence qui doit se dérouler à La Havane du 3 au 10 janvier 1966. Il y rencontre Georges Figon, personnalité controversée qui lui propose de tourner un film sur la décolonisation, *Basta !* La mécanique de l'enlèvement lancée par M. Oufkir vient de se mettre en marche. Oufkir tisse sa toile (Smith, 1999) pour arrêter celui qui menace la monarchie marocaine.

Début septembre, M. Ben Barka, de passage à Paris, dépose chez Maspero le manuscrit de *L'Option révolutionnaire* (1966). Une seconde fois, il rencontre G. Figon. Puis une troisième fois début octobre à Genève, bien que l'organisation de la Tricontinentale mobilise l'essentiel de son activité. Mais cette fois, doutant de la sincérité de G. Figon, il appelle Philippe Bernier, l'homme qui semble être la cheville ouvrière du projet de film. Rendez-vous est fixé à Paris le vendredi 29 octobre à 12 h 30, au drugstore du boulevard Saint-Germain. L'appât fonctionne comme prévu. L'équipe chargée d'enlever Ben Barka le fait monter sans coup férir dans une voiture. Ben Barka ne sera jamais revu.

D'après le témoignage d'A. Boukhari repris par *Le Monde* et *Le Journal* (Smith, 2001), Ben Barka est emmené dans une villa de la région parisienne et torturé à mort dans la nuit du 29 au 30 par Oufkir et Dlimi venus en personne. Dans la nuit du 30 au 31, son corps aurait été exfiltré vers le Maroc par Orly en avion militaire marocain, signant un crime d'État aux ramifications multiples.

En France, l'alerte est donnée dans la soirée du 30 octobre. En quelques heures, l'affaire Ben Barka est une affaire d'État. Le général de Gaulle s'emporte contre Hassan II, provoquant la plus grave crise des relations franco-marocaines depuis 1956. La police française et une armée de journalistes parviennent en quelques mois à reconstituer une partie du puzzle, avec la complicité de certains truands bien vite retrouvés suicidés (G. Figon début 1966). Le procès s'ouvre à Paris le 5 septembre 1966, posant d'emblée la responsabilité des plus hautes autorités marocaines. Dans un geste théâtral qui lui vaudra relaxation, le chef des services spéciaux marocains, Ahmed Dlimi, vient se constituer prisonnier en France le 19 octobre 1966 « pour laver l'honneur de son pays ». Le procès est interrompu.

En avril 1967 commence un nouveau procès après complément d'instruction. Le 5 juin, plusieurs exécutants français sont condamnés à quelques années de prison. Dlimi est relaxé faute de preuves, mais Oufkir est condamné à perpétuité par contumace. L'humiliation est grande pour le pouvoir marocain, mais le régime est débarrassé de son plus vigoureux ennemi. Commence alors une autre histoire dans la fureur de la guerre des Six Jours au Proche-Orient.

En 2002, près de quarante ans après les faits et au terme de multiples révélations, l'affaire, toujours en instruction en France pour assassinat, n'a pas encore connu son épilogue judiciaire.

2. L'UNFP tétanisée se retrouve isolée

« Entre nous et le Palais, il y a le cadavre de Mehdi Ben Barka. » Tel est le *credo* des militants et cadres de l'UNFP depuis son enlèvement, tant la responsabilité du Palais leur paraît certaine. Mais le parti se retrouve seul face à un régime au faîte de sa puissance. Et l'UNFP ne possède pas la puissance militante et politique de l'Istiqlâl en 1956.

L'intelligentsia marocaine n'est que faiblement engagée aux côtés de ce parti social-démocrate (Waterbury, 1975). Les professeurs de lycée constituent l'une de ses principales clientèles (Syndicat national de l'enseignement secondaire). Les intellectuels de l'UNFP sont proches de la culture française (ayant souvent fait leurs études en France et étant parfois mariés à des Françaises) et du courant socialiste français (ils travaillent dans les lycées publics marocains avec leurs collègues scientifiques français jusqu'au départ des coopérants entre 1977 et 1979). Tout cela ne facilite pas leur proximité avec la masse de la population marocaine. Les cadres de l'Union nationale des étudiants marocains (UNEM) sont aussi très proches de l'UNFP, mais le syndicat étudiant lui échappe depuis 1967.

Géographiquement, le parti a une solide implantation dans le Souss, à Beni Mellal, à Figuig et parmi la moyenne bourgeoisie de Rabat-Salé, qui constitue une bonne partie de son encadrement. À Casablanca, la base du parti est liée au syndicat historique, l'Union marocaine du Travail (UMT), autour d'A. Ibrahim. La base ouvrière contrôlée par l'UMT se constitue en tendance autonome (fraction de Casablanca), malgré les concessions de M. Ben Barka et le volontarisme d'Omar Benjelloun. Que cela soit dû aux querelles et à la susceptibilité des dirigeants du syndicat, aux manœuvres des services marocains ou aux deux à la fois, toujours est-il que le syndicat et le parti ont cessé, depuis 1962, leur étroite collaboration, malgré une éphémère alliance en 1967-68.

L'enlèvement de Ben Barka fait rebondir la tension entre l'UNFP et l'UMT. A. Bouabid, qui se retrouve en charge du parti, interrompt les négociations avec le Palais sitôt la nouvelle connue. Mais, paralysée par l'événement, l'UNFP est incapable d'organiser une grande manifestation. L'UMT en profite pour pointer sa faiblesse militante, et lance elle-même une grève générale pour les 12 et 13 novembre, réclamant l'instauration d'un « régime démocratique ». Puis l'UMT, avec l'assentiment du Palais, se tourne fin 1965-début 1966 vers l'Istiqlâl, alors que leurs relations étaient exécrables les années précédentes. L'UNFP en est encore affaiblie.

Après la guerre des Six Jours en juin 1967, le zaïm de l'UMT, Mahjoub Ben Seddik, est condamné à 18 mois de détention pour avoir accusé l'État de proximité avec les sionistes. Mais la

Abderrahim Bouabid

A. Bouabid est né en 1922 à Salé dans une famille d'artisans modestes. Il est inscrit à l'école des fils de notables, qui devient la pépinière nationaliste de cette cité bourgeoise. Brillant élève, il entre au Collège musulman Moulay Youssef de Rabat. Instituteur stagiaire, il passe le baccalauréat. Bloqué au Maroc, il participe en 1942 à la Taïfa, organisation clandestine du mouvement nationaliste, aux côtés de Mohammed Lyazidi et M. Ben Barka. Signataire du manifeste de l'indépendance le 11 janvier 1944, il manifeste contre l'arrestation des leaders de l'Istiqlâl et est emprisonné à son tour le 30 janvier. Libéré en 1946, il part à Paris, passe son droit et devient avocat. En France, il est chargé par l'Istiqlâl de s'occuper des travailleurs et étudiants marocains, et de faire connaître la question marocaine à l'étranger.

De retour au Maroc, il devient membre du conseil supérieur de l'Istiqlâl et porte-parole en français du parti. Il suit l'activité des militants au sein de l'Union des syndicats, et dirige en 1951-52 l'hebdomadaire en français du parti Al Istiqlâl. Très engagé, il est interdit de séjour dans les villes ouvrières et la capitale. Il participe à l'organisation des événements de décembre 1952. Arrêté, il est condamné et exilé dans le Haut-Atlas oriental. Il est libéré le 28 septembre 1954. En 1955, il représente les nationalistes à Aix-les-Bains, en lien avec A. Balafrej qui est à Genève. E. Pinay est impressionné par l'éloquence du jeune avocat dont il trouve l'intervention « remarquable ». Les nationalistes ont gagné la partie.

Nommé ambassadeur à Paris en 1956, il est ensuite ministre de l'Économie et des Finances du gouvernement Ibrahim. Il se marie en 1960 à Najet Bouzid, issue de Marrakech, dont il aura quatre fils. Il anime avec Ben Barka le courant Jeunes Marocains au sein de l'Istiqlâl. Ils entraînent A. Ibrahim dans la scission et la création de l'UNFP en 1959. Si la répression des années soixante conforte Bouabid dans sa radicalité, le parti n'en est pas moins tétanisé par la violence politique, et se fige dans une position conservatrice, coupé de l'UMT et abandonné par les jeunes marxistes.

A. Bouabid, poussé par la jeune garde intellectuelle de Rabat, estime au lendemain des coups d'État qu'il faut trouver un compromis avec la monarchie. L'UNFP éclate en deux tendances en juillet 1972. En 1974, A. Bouabid présente la cause marocaine en Extrême-Orient, et l'UNFP tendance de Rabat est partie prenante du consensus national. Lors du congrès de janvier 1975, cette tendance se transforme en Union socialiste des Forces populaires (USFP). A. Bouabid est secrétaire général. Toutefois, la manipulation des législatives de 1977 (qui provoque l'échec personnel d'A. Bouabid) laisse l'USFP dans l'opposition. En 1981, le compromis de Nairobi pousse Bouabid à doubler Hassan II sur sa droite en dénonçant un référendum sur le Sahara. Cela lui coûte six mois de résidence surveillée à Missour dans l'Oriental (septembre 1981-3 mars 1982). Malgré une rencontre entre A. Bouabid et le roi en 1982, le leader de l'USFP s'éteint dix ans plus tard, le 8 janvier 1992, sans que son parti ne soit revenu au pouvoir (bien qu'A. Radi ait été ministre USFP de la Coopération en 1984).

faiblesse des protestations de la base syndicale montre qu'à son tour l'UMT est profondément affaiblie en l'absence de son chef historique, comme l'avait imaginé Hassan II. La tentative de reconstruction de l'UNFP historique, c'est-à-dire du front parti-syndicat, face à l'état d'exception, échoue. C'est aux jeunes gauchistes que devait revenir l'initiative de constituer un front de la radicalité face au Palais.

3. Les grandes heures de l'UNEM

Après 1965 se confirment les angoisses des classes moyennes urbaines devant une école qu'elles jugent incapable d'assurer une promotion pour tous. L'Union générale des étudiants maro-cains (UGEM), d'obédience istiqlâlienne, défend depuis 1964 les étudiants en religion mécontentés de la Quaraouiyne, qui réclament l'arabisation. En 1966, l'UGEM et l'Union nationale des étudiants marocains (UNEM), le syndicat étudiant fondé à l'indépendance proche de l'UNFP, s'associent pour manifester contre la « Doctrine Benhima » (ministre de l'Éducation natio-nale), accusée de briser le processus d'arabisation. Le Maroc compte alors moins d'une dizaine de milliers d'étudiants. Ceux qui sont en filière de relégation (études islamiques) sont rejoints par d'autres catégories d'étudiants qui découvrent qu'ils ne sont guère mieux lotis. Tel est le cas en 1967 des élèves de l'École Mohammedia des ingénieurs (EMI) de Rabat, qui protestent contre la discrimination à leur égard par rapport aux ingénieurs formés en France.

Les étudiants protestent aussi contre les conditions maté-rielles, jugées médiocres, de leurs études. Les bourses, les pré-salaires, les chambres des Cités universitaires sont au cœur de leurs revendications, à Fès comme à Rabat. Les grèves de l'année 1970, qui démarrent en janvier à la faculté de méde-cine, ont pour mots d'ordre « l'allégement des programmes » et une « révision dans le système d'attribution des bourses ». Ces grèves sont de plus en plus fréquentes au sein des lycées et uni-versités du Maroc. Elles finissent par s'appeler l'une l'autre, comme ces mouvements de juin 1971 à Rabat, qui réclament la tenue d'examens en septembre pour compenser les semaines perdues. Elles fédèrent autour d'elles les organisations syndi-cales des étudiants et des professeurs, nationaux ou étrangers, qui se solidarisent avec les étudiants. Les autorités hésitent sur la marche à suivre ; elles démantèlent en octobre 1970 l'ENS de Rabat, haut lieu de la contestation.

Les événements de mai 1968 en France surviennent dans un contexte marocain survolté. Étudiants et lycéens suivent les événements internationaux (la guerre du Vietnam) qui structurent la révolte mondiale de la jeunesse. Pour ces étudiants musulmans s'ajoute la défense du mouvement national palestinien, devenue essentielle après l'humiliante défaite arabe de juin 1967. Le tiers-mondisme et l'anti-impérialisme de l'Algérie voisine de Boumediene renforcent cet état d'esprit.

Pour les étudiants de l'UNEM, mai 68 est un tournant, qui agit comme une troisième impulsion majeure après mars 1965 et juin 1967. La Maison du Maroc à la Cité universitaire de Paris, fief de la contestation au sein de l'UNEM, connaît pendant quelques semaines une phase d'autogestion (avant de fermer plusieurs mois en 1970). À la suite de la révolte anti-autoritaire en France, l'UNEM-Maroc est embarquée par son aile gauche dans une surenchère, puis dans une lutte frontale contre le Makhzen. La génération étudiante 1967-1973 se caractérise par son opposition radicale au pouvoir. Elle se retourne d'abord contre les appareils politiques nationalistes d'opposition jugés « ossifiés » et impuissants face au pouvoir personnel du roi.

4. La structuration du gauchisme marocain

Mai 68 est le moment à partir duquel se cristallisent les mouvements gauchistes marocains au sein de l'UNEM, de l'UNFP et du PLS (ex-PCM). L'UNEM connaît depuis 1967 des tensions entre les membres proches des états-majors des partis de gauche, représentés par ses deux présidents Fathallah Oualalou (66-68) et Abdellatif Menouni (68-69), et une minorité gauchiste de plus en plus active, à Paris comme à Fès. Les gauchistes dénoncent la convergence entre la direction de l'UNFP et le pouvoir, ainsi que l'absence de démocratie. L'UNEM constitue le terrain de rencontre des contestataires de l'UNFP et du PLS, qui mettent au point une stratégie de conquête de l'UNEM, en vertu des deux mots d'ordre : « À chaque bataille populaire son écho dans l'univers » et « UNEM avant-garde ». Le marxisme-léninisme marocain est né. Sa montée en puissance traduit l'émergence d'une génération d'étudiants ultra-politisée.

À Paris, le centralien Anis Balafrej, fils d'Ahmed Balafrej, dirige, aux côtés d'Alain Geismar, la « Cause du peuple », le mouvement marxiste-léniniste de la gauche prolétarienne. Hakima Berrada, sœur de l'ancien président de l'UNEM, est militante situationniste. À Fès, l'étudiant de la Quaraouiyne Abdellatif Derkaoui, membre de l'UNFP, est leader de cet autre centre de la contestation au sein de l'UNEM. Arrêté à Fès dans l'été 1968, il part alors à Rabat avec quelques camarades étudiants pour entreprendre la conquête de l'UNEM. À Rabat est publiée depuis 1967 la revue *Souffles* d'Abdellatif Laâbi (6 numéros par an) qui structure idéologiquement le gauchiste marocain. La revue est rejointe par le militant communiste Abraham Serfaty.

La génération des indépendances, fortement liée aux partis nationalistes, est alors dépassée par ses jeunes contestataires de plus en plus dégagés du nationalisme. Plus ouverte socialement que la précédente grâce à la politique scolaire mise en place après 1945 et l'indépendance, cette génération voit émerger en son sein des éléments révolutionnaires. Sortant de l'UNFP, une première fraction d'entre eux (Abdessamad Belkebir, Ahmed Herzeni, M'Hammed Talabi…) fonde en 1968 le mouvement gauchiste « 23 Mars », en référence à l'insurrection du 23 mars 1965.

Les gauchistes préparent la prise de contrôle de l'UNEM. Lors du XIIIe congrès de l'été 1969, le « groupe de Fès », emmené par A. Derkaoui, entre à la direction de l'UNEM. Habib el Malki sert de relais à la Maison du Maroc à Paris. Sous la présidence de Lakhsassi, une véritable ébullition anime l'UNEM. De leur côté, les contestataires du PLS (ex-PCM), notamment Driss Benzekri et Fouad Hilali, fondent en 1970 le mouvement gauchiste *Ilal Amam* (En avant).

Les membres de 23 Mars et d'*Ilal Amam* deviennent les « frontistes », le front des étudiants marxistes-léninistes. En 1970 est créé le Mouvement marxiste léniniste marocain (MMLM), dont la fraction « Servir le peuple » fit scission en 1971. Le mouvement dénonce le « réformisme » des partis officiels, et se considère comme « l'avant-garde des masses populaires » qui doit préparer la révolution. La première étape est, pour eux, la prise de contrôle de l'UNEM. À la veille du XIVe congrès de 1971, A. Derkaoui, A. Belkébir et Abdelaziz Menebhi se réunirent pour décider de la démarche à adopter. Le congrès débouche sur la prise du pouvoir par les gauchistes et la

Abraham Serfaty

A. Serfaty est né en 1926 à Casablanca dans une famille juive de petite bourgeoisie tangéroise. Il fait ses études primaires et secondaires au lycée Lyautey de Casablanca et obtient ses deux baccalauréats mathélem et philo en 1943. Entré en math spé à Lyautey, il intègre en 1944 les rangs des Jeunesses communistes marocaines. Il entre en 1945 à l'École des Mines de Paris au titre d'élève étranger. Il adhère au PCF. Ingénieur des Mines, il rentre au Maroc en 1949 et dirige un chantier minier dans le Haut-Atlas. Mais il démissionne et rejoint début 1950 l'action clandestine du Parti communiste marocain (PCM). Arrêté en avril 1950 puis en septembre 1952, il est torturé. Il est expulsé en France en décembre 1952 en tant qu'étranger parce que son père, juif marocain, était titulaire de la nationalité brésilienne.

De 1952 à 1956, il milite à Paris pour l'indépendance du Maroc. De retour au pays en juin 1956, il est engagé au Service des mines. Directeur des Mines dès janvier 1959, il élabore le statut du mineur sous l'égide d'A. Bouabid. De 1960 à 1968, il est détaché à la direction de la Recherche et développement de l'OCP. En novembre 1968, il est renvoyé du ministère pour avoir pris la défense des mineurs grévistes de Khouribga. Il enseigne à l'École Mohammedia des Ingénieurs de Rabat et devient directeur des études en 1971.

Début 1968, il rejoint la revue marxiste *Souffles* du poète A. Laâbi, dont il devient l'un des animateurs. Rompant avec le PCM en août 1970, il participe à la création de l'organisation clandestine gauchiste *Ilal Amam*.

Arrêté en 1972, il est torturé puis libéré sous la pression étudiante au bout d'un mois. Passant dans la clandestinité, il est repris en novembre 1974, et soumis pendant plusieurs mois aux tortures du sinistre Derb Moulay Cherif. Avec 139 camarades d'*Ilal Amam*, il est condamné à perpétuité au procès de Casablanca début 1977, pour « atteinte à la sûreté de l'État ». Son pire crime consiste à nier la marocanité du Sahara.

Après la libération de Nelson Mandela, il est l'un des plus vieux prisonniers politiques d'Afrique. La pression internationale le fait libérer, en très mauvaise santé, le 13 septembre 1991. Il est alors banni une deuxième fois comme Brésilien. Il se réfugie à Paris auprès de sa femme Christine Daure, épousée en prison en 1986, et de son fils. Il enseigne à Paris-VIII jusqu'en 1994. Exilé en France, il veut rentrer mourir au Maroc. Mohammed VI l'autorise à rentrer le 30 septembre 1999. L'accueil est chaleureux. Serfaty est nommé conseiller technique pour le pétrole en 2000.

Militant « juif-arabe », A. Serfaty ne renie pas ses combats passés contre le sionisme, en faveur de l'internationalisme et de l'autodétermination du peuple sahraoui.

présidence de Taïeb Bennani. Mais la répression s'abat dès juin 1971 sur le mouvement, déterminant son passage à la clandestinité.

5. Euphorie économique et insouciance à Rabat

Malgré l'activité politique intense sur les campus qui accompagne la crise de l'enseignement, et malgré l'état d'exception, le Maroc et sa capitale Rabat traversent leur meilleure période depuis l'indépendance. La situation économique se rétablit à partir de 1968, ce qui autorise l'insouciance des élites, de la jeunesse dorée et du Palais.

Après une décennie de croissance médiocre, le plan quinquennal, relancé en 1968, traduit une volonté de redressement de la situation de la part du Palais. Pour accompagner la forte croissance démographique (2 millions d'habitants de plus tous les cinq ans, soit 15 millions en 1970), le roi, sans abandonner le libéralisme officiel, se convainc du nécessaire rôle de l'État. Pour venir en aide au secteur agricole et au bâtiment, les deux grands secteurs de main-d'œuvre, Hassan II engage la construction des barrages (une première tranche de six est annoncée en 1967).

L'agriculture est orientée vers l'exportation. Les meilleures terres, appartenant aux grands propriétaires et à l'État, sont destinées aux agrumes et à quelques cultures commerciales (betteraves). Elles sont les premières irriguées (passant de 65 000 ha en 1956 à près de 800 000 en 1980). Le phosphate bénéficie aussi d'investissements pour une valorisation sur place depuis 1965. Un plan de construction et de rénovation d'hôtels est lancé pour créer un tourisme de masse (1 million de touristes étrangers en 1972), sans oublier quelques projets d'industrie légère (agro-alimentaire).

Entre 1968 et 1972, 12 milliards de dirhams sont investis dans un contexte international favorable, qui connaît l'envol du cours mondial des matières premières (phosphate, agrumes, poissons...). L'inflation mondiale s'accélère et permet d'emprunter à bon compte, avec des taux d'intérêt négatifs. Le Maroc est un pays peu endetté. La réalisation du plan se traduit par une croissance de 5,6 % par an (Ganiage, 1994), qui signifie un réel enrichissement. Mais cette euphorie relative ne profite qu'à une minorité. Affairistes, ministres, courtisans, hauts fonctionnaires et milieux d'affaires étrangers sont les grands bénéficiaires de cette croissance, loin des tracas de l'Université.

Imaginant avoir trouvé le chemin de l'expansion, le roi mène avec sa cour une vie qui fait les beaux jours de Rabat et des lieux de villégiature du pays. Les modes vestimentaires occidentales se répandent dans une capitale où la quasi-totalité des femmes étaient encore voilées quinze ans auparavant. La jeunesse dorée des familles au pouvoir vit dans une grande insouciance, dans une sorte de fête permanente, entre deux séjours en Europe pour faire les courses (Smith, 1999). Le champagne et le whisky coulent à flots dans une capitale où les mœurs de la cour semblent des plus relâchées, sous l'œil réprobateur d'une opinion islamique négligée et des officiers berbères qui méprisent cette décadence, dont ils craignent qu'elle n'aspire leurs enfants. Cette situation n'est pas sans rapport avec celle de Téhéran où la corruption s'est aussi érigée en système.

6. Le premier coup d'État (1971) ébranle le régime

De janvier à mai 1970, une série de grèves pousse le roi à agir. Il démet son ministre de l'Enseignement, A. R. Guédira, et tente de régler la question scolaire (il préside le colloque d'Ifrane en mars, qui vise à promouvoir les grands principes de la politique scolaire de 1956). Puis il tente de sortir de la crise par une opération constitutionnelle. Le 7 juillet 1970, il annonce la fin de l'état d'exception, et fait voter le 31 une deuxième Constitution d'apparence démocratique (98,85 % d'approbation).

En quelques jours, la vie politique partisane renaît de ses cendres dans la perspective des législatives d'août. Oufkir pilote la réorganisation de la vie partisane, et contrôle une scène politique qui doit être acceptable par le Palais.

En août 1970, la fondation du parti d'extrême gauche *Ilal Amam* est contrée par la création du premier parti islamiste marocain, la *chabiba Islamiya* (Jeunesse islamique) d'Abdelkrim Mouti et Ibrahim Kamal. Dans le même temps, les partis du mouvement national se rapprochent en créant un bloc national (ou *Koutla*). Le Parlement élu ne remet pas en cause l'équilibre institutionnel centré autour du Palais. Le gouvernement reste présidé par l'istiqlâlien Ahmed Laraki, riche professeur de médecine fassi et Premier ministre depuis octobre 1969.

Mais en réalité rien ne change, sur fond de corruption et de répression. En juin 1971, un nouveau complot, dit baâsiste, est démantelé. C'est alors qu'intervient le premier coup d'État.

Le général Mohammed Medbouh, chef de la Maison royale, révulsé par une importante affaire de corruption à peine sanctionnée, se décide à écarter le roi pour « assainir un État qui pourrit par la tête » (cité par Smith, 1999). Il s'associe à son gendre, le lieutenant-colonel M'Hammed Ababou, jeune officier ambitieux de trente-deux ans, qui lui apporte l'aide des 1 400 cadets de l'École d'Ahermouhou. Le 10 juillet 1971, à une vingtaine de kilomètres au sud de Rabat, au bord de l'océan, les cadets donnent l'assaut au Palais royal de Skhirat, où près d'un millier d'hôtes fêtent dans l'opulence l'anniversaire du souverain. Une soixantaine de convives sont tués, mais le roi échappe miraculeusement à la mort. Oufkir, investi des pleins pouvoirs civils et militaires, parvient à reprendre en quelques heures le contrôle complet de la situation et de la capitale.

Après quelques heures de pagaille, l'ordre règne à nouveau au Maroc. Mais le choc est terrible. Le trône marocain vient de manquer d'être emporté dans l'indifférence de la population. Pire, des manifestations de joie de la jeunesse ont résonné (Santucci, 1985). La question des FAR, colonne vertébrale du régime, est posée, puisque les plus hauts gradés de l'état-major sont impliqués dans le putsch. Le 13 juillet, le général Oufkir, convoqué par le roi, assiste à l'exécution de 10 officiers supérieurs, amis de longue date (dont 4 généraux berbères). Dans la foulée, il est nommé le 6 août ministre de la Défense et chef d'état-major des FAR, au sein du gouvernement de Karim Lamrani. Fin 1971, le Parlement élu en 1970 est suspendu, dans l'attente d'une réforme constitutionnelle.

Entre-temps, les cadets rescapés passent devant un tribunal militaire qui les condamne à des peines d'emprisonnement très variables, en fonction de leur implication supposée ou avérée. Une quarantaine d'entre eux, arbitrairement choisis, sont conduits en 1973 dans le bagne mouroir de Tazmamart dans l'Oriental. Ils devaient y demeurer jusqu'à leur mort, ce qui fut le cas pour la moitié d'entre eux (Marzouki, 2001).

7. Une conjonction des oppositions ?

Depuis la disparition de Ben Barka et l'instauration de l'état d'exception, le fqih Basri cherche l'aide d'États étrangers pour palier l'impuissance de l'UNFP. Persuadé que le jeu politique contrôlé par le Makhzen ne laisse aucun espace, le fqih est décidé à renverser le régime par la force. Épaulé par l'Algérie de Boumediene, qui lui fournit logistique et conseil, le fqih se croit revenu à l'époque de la résistance urbaine (Belouchi,

2002). À plusieurs reprises, il aurait tenté d'infiltrer au Maroc ses maigres troupes, entraînées en Syrie et en Oranie, pour attaquer le régime. Le complot baâsiste de juin 1971 a été présenté par les services marocains comme l'une de ces tentatives, mais il y avait déjà eu des tentatives de guérilla à Casablanca en 1969-1970 (Bennouna, 2002).

Durant cette période, la répression laisse l'UNFP très affaiblie : sa presse est interdite et 193 militants arrêtés en 1969 sont poursuivis devant la justice pour « atteinte à la sûreté de l'État », parmi lesquels Saïd Bounaïlat, Ben Moussa, Habib el Forqani, Ahmed Benjelloun, Mohammed el Yazghi. Le procès commence le 14 juin à Marrakech, et A. Bouabid assure la défense des condamnés.

Cette affaire inaugure ce que l'on appelle les « années de plomb », un long cycle d'enlèvements, de tortures, de procès fleuves et de milliers d'années d'emprisonnement qui s'abattent, jusqu'au milieu des années quatre-vingt, sur les militants de l'opposition et les putschistes. À l'automne 1971, 5 condamnations à mort sont prononcées dans l'affaire du complot baâsiste (S. Bounaïlat, Ben Moussa et 3 par contumace), ainsi que 6 peines d'emprisonnement à perpétuité. Faute de preuves, M. el Yazghi est relaxé au milieu d'une cinquantaine de militants et cadres de l'UNFP. Le verdict reste néanmoins modéré comparé au réquisitoire du procureur (Santucci, 1985) : alors que l'armée se dérobe, le roi tente de se rapprocher de son opposition politique.

Le putsch de Skhirat aurait été une divine surprise pour la fraction blanquiste de la gauche, dirigée de l'extérieur par Basri, qui prend conscience que son hostilité au régime est partagée par ceux-là mêmes qui ont la charge de le défendre. Après Skhirat, Oufkir fait savoir qu'il est favorable à un changement radical de politique. Persuadé que le contexte est propice, et qu'il peut entraîner les dirigeants de l'UNFP, le fqih Basri se serait entendu avec Oufkir pour renverser le régime (lettre de M. Basri datée de 1974, Smith, postface, 2002). Les événements politiques de l'année 1972 accentuent la détermination du fqih (taux de participation stalinien le 1er mars 1972 pour approuver la troisième Constitution, report des législatives le 30 avril…).

C'est sur la base de cette alliance inédite, qui aurait reçu l'aide d'un conseiller du roi, qu'une nouvelle conspiration allait déboucher sur l'attentat du Boeing.

8. Le second coup d'État décapite l'armée

Le général Oufkir et le colonel Amokrane ont été les concepteurs de la seconde tentative de putsch du 16 août 1972, connue comme l'attentat du Boeing (Smith, 1999). Ces officiers supérieurs s'inspirent des « officiers libres » qui ont renversé la monarchie en Égypte et en Libye (1954 et 1969). Ils semblent avoir le soutien des activistes de l'UNFP, qui espèrent utiliser les officiers pour liquider le roi, avant de se débarrasser d'Oufkir, qu'ils tiennent pour responsable de la mort de Ben Barka.

Le 16 août 1972, le roi Hassan II et sa suite (dont son frère Moulay Abdallah et le général Ahmed Dlimi) rentrent de Paris, *via* Barcelone, à bord d'un Boeing 747. L'avion royal est attaqué par des chasseurs de l'armée marocaine au-dessus de Tétouan, dans le nord du Maroc. Pour des raisons obscures, les avions de chasse de Kénitra manquent leur cible (leurs balles auraient été à blanc), et le Boeing parvient à se poser sur l'aéroport de Rabat-Salé. De nouvelles salves de mitraillettes s'abattent ensuite sur l'aéroport, puis sur le Palais de Rabat. Mais le roi, qui est sain et sauf, est à l'abri. Le complot a fait 10 morts et 45 blessés, mais il a échoué. La presse marocaine ne manque pas de louer la *baraka* royale (la grâce divine) qui a permis au roi de survivre à un deuxième attentat. L'avion et le pilote (le commandant Kabbaj) ont été décorés.

Le 17 août 1972 au matin, l'agence de presse officielle MAP annonce le « suicide » du général Oufkir. Ce « suicide de loyauté » est transformé quelques jours plus tard en « suicide de trahison », une fois la situation reprise en main. Le 21 août, le roi explique, dans une conférence de presse, les intentions machiavéliques du « général félon », premier acte de la légende noire d'Oufkir, voué pendant près d'un quart de siècle aux gémonies par la propagande officielle. Conformément à la volonté du roi, le 23 décembre 1972, l'épouse et les six enfants du général sont enlevés pour disparaître pendant dix-huit années (F. Oufkir, 2000). Quant aux « aviateurs », leur procès s'achève le 7 novembre 1972. Onze condamnations à mort sont prononcées (notamment les officiers Amokrane et Kouera), ainsi que 32 peines de prison de trois à vingt ans. Le 6 août 1973, les condamnés à plus de trois ans de prison sont transférés à Tazmamart, avec les mutins de Skhirat, où ils allaient passer dix-huit ans.

Par ses conséquences multiples, l'attentat du Boeing constitue un tournant déterminant. Au plan politique, l'attentat donne l'occasion à la jeune garde de l'UNFP, qui vient de se constituer le 30 juillet autour d'A. Bouabid (tendance de Rabat), de rompre avec ses attaches blanquistes et de réclamer la mise sur pied d'une Constituante. Au plan économique et social, la monarchie prend conscience qu'il lui faut consolider son assise sociale. Elle doit renforcer la base économique des capitalistes, propriétaires terriens, militaires et hauts cadres administratifs, pour les rendre solidaires de la destinée du régime.

La monarchie doit revoir l'ossature même du régime. Les FAR doivent être neutralisées. L'état-major, désormais dirigé par Dlimi, doit être renouvelé, notamment grâce à l'apport de quelques officiers issus de vieilles familles makhzen.

V / La fin programmée du régime ?
(1972-1975)

1. L'heure d'Ahmed Dlimi

L'attentat du Boeing a déstabilisé tout le système de pouvoir marocain. L'institution royale et la personne du roi sont sauves, mais les observateurs s'accordent à penser que les jours de la monarchie sont comptés.

Le gouvernement de l'homme d'affaires K. Lamrani reste en place. C'est le ministre de l'Intérieur M. Benhima qui a raconté à la télévision, le 18 août 1972, la trahison d'Oufkir. Mais ce gouvernement est déséquilibré avec la disparition du ministre de la Défense, fonction maintenant occupée par le roi. Malgré le calme apparent — que le silence des Marocains pendant les événements a rendu pesant —, la fêlure est immense. La monarchie doit se reconstruire pour perdurer. Le roi peut reconduire le système en place, bâti sur le couple répression-corruption. Il peut aussi faire une offre de libéralisation à l'opposition politique. En fait, il ne choisit pas vraiment. Dans son appel du 20 août 1972 aux forces vives de la nation, qui peut apparaître comme une main tendue, Hassan II n'hésitera pas, dit-il, à « faire périr le tiers de la population pour préserver les deux tiers de la population saine » (formule issue du rite malékite).

La poursuite de la répression n'en suppose pas moins de trouver des relais pour garder l'armée sous contrôle, quitte à lui trouver un champ d'expansion, mais aussi d'instiller des contre-pouvoirs à même de neutraliser toute dérive putschiste. L'autonomie de l'armée est affaiblie, et Hassan II est bien décidé à faire son *check-up*. S'adressant le 19 août 1972 aux officiers supérieurs rescapés, il dénonce les clans et factions qui ont pris

Ahmed Dlimi

Né en 1930 à Sidi Kacem dans une famille arabe originaire du Sahara, Ahmed Dlimi a étudié à Moulay Youssef. Sorti major de l'école militaire de Dar el Beïda de Meknès, il fait en 1955 un stage à l'École interarmes de Saint-Maixent. En 1956, le jeune officier de l'armée française intègre les FAR. En 1957, il participe à l'opération contre Addi Ou Bihi, ce qui lui vaut d'être remarqué par Moulay Hassan. Il participe ensuite aux opérations du Rif sous les ordres d'Oufkir, ce qui est le début d'une longue amitié. Après un mariage avorté qui humilie un proche du roi, il est muté à Fès par ce dernier. À la mort du roi, Dlimi est rappelé à Rabat par Oufkir qui le fait rentrer dans le renseignement militaire. Il se marie à Zahra Bousselham, fille du chef des services secrets, et dont la sœur est mariée à l'un des officiers les plus proches d'Oufkir.

Le capitaine Dlimi prend la tête du Cab 1 en août 1964, sous les ordres directs d'Oufkir. Directeur adjoint de la sécurité de l'État, il est le bras droit d'Oufkir et l'homme des basses besognes. De 1960 à 1965, il démantèle les complots qui se succèdent et tente d'abattre les opposants les plus déterminés (Ben Barka, Cheikh el Arab, fqih Basri...). Dans le cadre de ses activités, il est amené à se rendre fréquemment en Israël (il est l'interlocuteur officiel du Mossad depuis 1963).

Dlimi est un homme ambitieux, violent et très coléreux. Ses proches le décrivent comme intelligent, courageux, amateur de femmes, de pouvoir, d'argent et d'alcool. Oufkir le considère néanmoins comme son héritier.

Il participe probablement à l'assassinat de Ben Barka. Accusé, il rejoint théâtralement la France pour se mettre à disposition de la justice. Il effectue huit mois de préventive avant d'être acquitté faute de preuves en juin 1967. À son retour, le roi le nomme lieutenant-colonel et l'intègre à son cabinet militaire dont il devient directeur. Il affirme être alors l'homme le plus riche du Maroc, amassant biens et revenus, à la différence d'Oufkir. Hassan II lui confie en 1970 la Direction générale de la Sûreté nationale, où l'homme se révèle très corrompu. Avec la complicité du roi, Dlimi dépouille Oufkir de son pouvoir.

La relation avec Oufkir (comme entre leurs femmes) se dégrade de plus en plus. Après l'échec du premier coup d'État, il est probable qu'Oufkir décide de liquider le système Dlimi. Dlimi se trouve le 16 août 1972 dans le Boeing avec le roi, qui le promeut sur-le-champ.

Pendant dix ans, Dlimi est l'un des piliers du régime. Lorsque le Cab 1 est démantelé à la fin mars 1973, il devient directeur de la DGED (Direction générale des études et de la documentation, service de renseignement marocain). En 1974, il est chargé du Sahara, et devient dès le début de la guerre en 1975 commandant du secteur Sud. À ce poste, le fin stratège Dlimi devient le sauveur du régime.

Probablement impliqué dans un troisième complot, Dlimi aurait été assassiné le 25 janvier 1983 par un camion-citerne dans la palmeraie de Marrakech. Il est néanmoins enterré en grande pompe au cimetière des Martyrs de Rabat. Fatima Oufkir raconte pourtant au *Nouvel Observateur* qu'il est resté en vie au moins cinq ans après 1983, entre les mains des autorités.

le commandement des FAR, et décide de les remanier. Le général Driss Ben Aomar el Alami, l'un des derniers officiers rescapés des armées coloniales, est mis à la retraite. Pourtant, les trois organisateurs des coups d'État, les officiers Ababou, Amokrane et Kouera, âgés de trente-cinq ans, ont été formés après 1956 (J. Waterbury, 1975). Dans la réorganisation de l'armée, nombre de fonctions (comme la gestion des dépôts de munitions) sont affectées à des cadres civils de l'Intérieur.

Au sein de l'armée, le roi peut s'appuyer sur un officier sans attache berbère, et dont il s'est déjà acheté la fidélité, le général Ahmed Dlimi, âgé de quarante-deux ans. Ce général d'active est le plus gradé des FAR après les purges. Au lendemain de l'attentat du Boeing, Hassan II l'attache à son service et le nomme directeur des aides de camp de Sa Majesté.

L'ancien patron du Cab 1 est chargé de la sécurité royale (où il supervise son beau-frère le général Sefrioui, commandant les 1 500 hommes de la garde royale), tout en restant fidèle au monde du renseignement. Or le contexte très répressif au lendemain des putschs est tel que le Cab 1 joue un rôle clé. Il déjoue en mars 1973 l'opération de Moulay Bouaaza (*cf.* p. 65). La DGED et la DST (Direction de la surveillance du territoire), qui lui succèdent, conduisent une lutte sans merci contre les ramifications internationales du gauchisme révolutionnaire. Le lancement de l'affaire saharienne en 1974 allait renforcer la puissance du colonel.

2. Dissolution de l'UNEM et mise au pas de l'Université

Après les putschs, l'UNEM estime que le régime est sur le point de tomber. Les grèves se succèdent dans les lycées et universités, que renforcent les premières arrestations d'étudiants (dont le président de l'UNEM, Lakhsassi). En janvier 1971, les autorités ferment certains établissements pour mettre fin à une longue grève des lycéens. En juillet, la Maison du Maroc à Paris est fermée. À la rentrée, les grèves reprennent par solidarité avec les étudiants jugés au procès de Marrakech en mai. Les arrestations d'intellectuels et professeurs (A. Derkaoui, A. Laâbi, A. Serfaty et P. Pascon) en janvier, puis avril 1972, visent à mettre un terme à la grève de quatre mois, et aux manifestations de rue de Rabat. Le 17 avril 1972, le gouvernement doit cependant accepter les revendications estudiantines pour obtenir la reprise des cours. Mais des centaines d'étudiants et lycéens sont incorporés de force dans l'armée.

Le XVe congrès de l'UNEM se tient à huis clos le 11 août 1972. Il voit la démission du Comité exécutif et de son président. Une nouvelle équipe frontiste, menée par Abdelaziz Menhebi, est élue. Mais celui-ci est arrêté le 2 septembre suivant. À partir de là, les grèves sont quasi permanentes à l'Université. Les étudiants marocains qui occupent l'ambassade du Maroc à Damas sont arrêtés. En décembre, 100 étudiants sont expulsés de la Cité U de Rabat et arrêtés. À la reprise des cours début 1973, alors qu'une nouvelle grève illimitée s'annonce, les autorités prétextent la mort d'un policier au quartier de Yacoub el Mansour à Rabat pour dissoudre l'UNEM le 24 janvier, et procéder à de nouvelles arrestations.

Des mesures drastiques sont par ailleurs prises pour mettre un terme définitif à l'agitation étudiante. Un service civil de deux ans vise à calmer les étudiants, inquiets de l'apparition du chômage des diplômés en 1971, mais aussi à éloigner les éléments les plus agités. Les militants frontistes poursuivent leur action, mais sont arrêtés par vagues (comme les cadres du Syndicat national des élèves en mars 1973). Jugés au cours de multiples procès (procès du groupe 44 en août 1973, procès du groupe 139 en janvier 1976…), ces étudiants et intellectuels allaient passer de nombreuses années en prison.

Parallèlement, les autorités s'attaquent à la réforme du système d'enseignement pour saper les bases de la pensée critique qui avait conduit à la révolte de l'Université (Vermeren, 2002). En 1968 déjà, l'Institut de sociologie d'Abdelkébir Khatibi et Paul Pascon avait été démantelé à Rabat. À l'Université, le professeur Abdelaziz Lahbabi, doyen de la faculté des Lettres de Rabat, y fit fermer la section française de philosophie. La pensée islamique, dans sa version idéologique, fait irruption en philosophie à l'occasion de son arabisation. De même, les départements d'histoire et de sciences humaines sont arabisés en 1973. Puis en 1977, avec l'arrivée de l'Istiqlâl à l'Éducation nationale en la personne d'Azeddine Laraki, tout le système d'enseignement est arabisé (cycles primaire et secondaire), tandis qu'à la Faculté ouvre en 1978 un département d'études islamiques.

Lorsque l'UNEM est à nouveau autorisée au Maroc en novembre 1978, une nouvelle génération prend en main sa reconstruction, sous l'emprise croissante de l'idéologie islamiste.

3. La tentative d'insurrection du Moyen-Atlas

Alors que la population est conviée la Fête du Trône le 3 mars 1973, un nouveau « complot » est mis à jour. Des groupes armés sont apparus dans les régions du Moyen et du Haut-Atlas. À Moulay Bouaaza, un commando armé de kalachnikovs attaque le poste administratif et tue la sentinelle. D'autres actions sont menées à Goulmina, Figuig et Tinghir dans l'Oriental et le Haut-Atlas, tandis que quatre bombes éclatent à Oujda, et deux à Nador dans le Rif.

En provenance d'Algérie, ces éléments auraient été entraînés à la subversion en Syrie et en Oranie, dans le cadre des activités révolutionnaires du fqih Basri. Depuis l'instauration de l'état d'exception, plusieurs commandos ont franchi la frontière, toujours interceptés par des autorités marocaines préalablement averties. Les deux putschs ayant montré que le régime était sur le point de s'effondrer, il s'agissait de créer des maquis insurrectionnels dans des régions de dissidence, sur le modèle des guérillas maoïstes.

L'insurrection du 3 mars a semblé de grande ampleur. Mais les autorités ont-elles gonflé le danger pour mieux le réprimer, ont-elles manipulé de bout en bout l'opération comme le sous-entend A. Boukhari ? Ou bien s'agissait-il vraiment d'une escalade dans la lutte armée contre le régime ? Sur les 250 hommes répartis sur le territoire marocain, une cinquantaine auraient été arrêtés par les forces de sécurité. D'autres ont-ils pu se replier en Algérie ?

Toujours est-il que cette tentative d'insurrection, présentée par le pouvoir comme le « complot du 3 mars », a permis de déstabiliser l'UNFP, notamment la « tendance de Rabat » d'A. Bouabid et de sa jeune garde (Waterbury, 1975). Des centaines de militants furent arrêtés et 159 accusés présentés devant le tribunal militaire de Kénitra le 25 juin 1973, au nombre desquels Omar Benjelloun et M. el Yazghi. Le chef politique et avocat A. Bouabid fut appelé à comparaître comme témoin et déclara : « Il en est parmi nous qui se sont demandé si la voie légale n'était pas une erreur et si, à la violence, il n'y avait pas à imposer une contre-violence ». Seize peines capitales (dont 15 furent appliquées le 1er novembre) et 15 réclusions à perpétuité furent prononcées le 30 août 1973.

Moulay Bouaaza fut le dernier grand complot, mettant un terme à la phase blanquiste d'une partie de l'opposition rassemblée autour du fqih Basri. L'héritage activiste de l'Armée de libération marocaine était soldé. D'ailleurs, dès la fin mars 1973, le Cab 1 est démantelé, cédant la place à la DST (contre-espionnage) et à la DGED (espionnage), et signifiant l'entrée dans une nouvelle époque.

4. La marocanisation de 1973 conforte la base sociale du régime

Le 2 mars 1973, un dahir est promulgué qui vise la récupération des 300 000 hectares de terres étrangères, dont 260 000 appartiennent à des Français (2 000 propriétaires terriens). Sur le million d'hectares de terres coloniales, l'État a déjà récupéré les 300 000 ha de la colonisation officielle (1963), et 350 000 ha ont été cédés par leurs propriétaires dans de bonnes conditions. Dix-sept ans après l'indépendance, il s'agit de solder cet héritage colonial pour conforter les notables ruraux, base la plus fidèle du régime. À cette date, 64 % de la population du pays est encore rurale.

L'opposition réclame une réforme agraire, et refuse l'indemnisation des colons (dont se charge modestement la France). Quant à la masse paysanne misérable, elle compte récupérer une partie de ces terres, parmi les plus riches du pays, et qui assurent l'essentiel des exportations agricoles. Mais pour le pouvoir, il ne saurait s'agir de tuer la poule aux œufs d'or ni de s'aventurer dans une telle politique. Pour lui, les notables ruraux et ses obligés doivent être bénéficiaires. Une opération de diversion est lancée par le discours royal du 8 juillet (expérience de « socialisme islamique » de gestion collective des terres), mais dans les faits ces terres vont rejoindre le domaine public. Elles seront ensuite vendues, données en gérance ou en biens propres aux cadres du régime (notamment certains officiers).

Mais le pouvoir veut aussi consolider les bases économiques de la bourgeoisie urbaine. Celle-ci doit se sentir davantage solidaire d'un régime qui constitue la meilleure garantie pour la pérennité de ses biens. Les marxistes marocains, à l'instar de l'économiste Habib el Malki, ne se privent alors pas de menacer la « bourgeoisie *compradore* » (qui sert de relais au capital étranger) de nationaliser ses biens en cas de révolution. Pour le pouvoir, il s'agit aussi de dégager des emplois pour la jeunesse qui arrive sur le marché de l'emploi et que l'administration ne peut plus embaucher. Vingt-cinq mille postes d'encadrement sont encore occupés par des étrangers, dont 20 000 non bacheliers. Les dahirs et décrets de mars et mai 1973 lancent la marocanisation des biens étrangers dans le commerce et l'industrie (Doumou, 1987).

Il ne s'agit pas de collectiviser les biens étrangers, mais de faire passer sous capital marocain privé (par le biais de transactions libres) les propriétés économiques contrôlées jusqu'alors à plus de 50 % par les étrangers. L'opération concerne 30 % des biens industriels (l'industrie lourde y échappe) et 90 % des biens tertiaires (hormis pharmacies, librairies et tourisme), soit plusieurs milliers d'entreprises. Cette marocanisation progressive n'exclut pas le capital étranger. Dans les banques, la majorité du conseil d'administration et son président sont marocains, mais des actionnaires prête-noms permettent au capital étranger de garder le contrôle réel. Dans l'industrie, le capital marocain passe de 18,5 % à 55 %.

Cette décolonisation économique élargit le capital public. Les holdings financiers (CNI, BNDE...) deviennent autant de fiefs qui permettent la gestion patrimoniale de l'État. D'autre part, elle élargit l'assise financière de la bourgeoisie. L'opposition la qualifie ironiquement de « larakisation ». En effet, seuls les grands propriétaires peuvent s'endetter pour acheter les entreprises ou des prises de participation. Les Fassis prennent le contrôle du secteur bancaire tandis que les chleuhs (berbères du Souss) investissent l'industrie de transformation. En 1978, on compte 300 multimilliardaires au Maroc. Trente-six familles ont pris le contrôle des deux tiers des capitaux marocanisés, et elles sont trente à contrôler le quart des capitaux du secteur privé (Doumou, 1987).

5. Les phosphates au secours du régime

La guerre israélo-arabe d'octobre 1973 fait entrer l'économie mondiale dans la crise avec le premier choc pétrolier. Pour le Maroc comme pour de nombreux pays producteurs de matières premières, l'événement a cependant des répercussions positives. En effet, le choc pétrolier s'accompagne d'une envolée du cours du phosphate, qui passe de 13 à 63 dollars la tonne en moins d'un an. Or le Maroc en est le premier exportateur mondial. Quant au quadruplement des prix du pétrole (dont le Maroc n'est pas producteur), il n'a guère d'incidence à court terme car le pays en consomme très peu (sous-industrialisation, absence de chauffage domestique et parc automobile limité à quelques dizaines de milliers de véhicules). En tout cas, il est loin d'annihiler la hausse du cours du phosphate.

Cette hausse offre au Maroc les moyens de financer un quatrième plan quinquennal volontariste (1973-1977), et d'accélérer sa croissance. Par ailleurs, le 13 août 1973, le Maroc s'est doté, sur recommandation de la Banque mondiale, d'un code des investissements pour attirer les investissements directs (grâce à des facilités pour rapatrier les bénéfices, et à des exonérations fiscales accrues). Ce pays de capitalisme rentier, qui a souffert d'un cruel sous-investissement durant les années soixante, allait connaître un boom relatif.

En quelques années, il se dote d'une véritable industrie manufacturière, en particulier textile. La nouvelle « option industrialiste » du plan fait passer l'investissement industriel public de 11 % (plan 68-72) à 21,7 % du budget. On évoque la stratégie de développement par l'industrialisation de substitution aux importations (ISI), mise en veilleuse depuis le premier plan, tout en voulant promouvoir l'industrie d'exportation (le tiers de l'investissement industriel public). Cette dernière concerne à 80 % les industries légères (agro-alimentaire, textile, chimie et parachimie), ce qui diffère de la stratégie algérienne (industrie lourde).

Le résultat est positif, puisque la croissance du quinquennat 73-77 atteint 7,3 % par an, un record. Mais le pays prend de mauvaises habitudes. Tablant sur des recettes phosphatières durablement élevées (alors que dès 1975 le prix du phosphate est redescendu de moitié), le Maroc consomme au-dessus de ses moyens. Il importe des biens d'équipements nécessaires à son industrialisation, mais aussi des biens de consommation (véhicules). Le taux de couverture passe de 80 % à 40 % en cinq ans. En résulte un endettement croissant. L'abondance des pétrodollars en quête de placement dans le monde, la récession au Nord et les taux d'intérêt réels négatifs, tout cela encourage des pays comme le Mexique, la Tunisie ou le Maroc à s'endetter.

En 1977, plus de 50 % de l'investissement sont financés par emprunt extérieur. Le coefficient d'endettement passe de 12 à 17,5 %, et la dette extérieure du Maroc passe de 1,3 milliard de dollars en 1973 (24 % du PIB) à 8,57 milliards en 1978 (plus de 100 % du PIB).

6. À la recherche de l'Union sacrée

Le retour de la croissance ne résout pas l'équation politique. Le durcissement du régime, manifesté en 1973 par les grands procès de Kénitra et Casablanca, ne supprime pas la tension entre le Palais et l'opposition. Or l'expérience a prouvé que l'état d'exception est très risqué à moyen terme. Si bien qu'en dépit de la répression, confirmée par la révision restrictive du code des libertés publiques de 1958 le 14 avril 1973, le régime est contraint de discuter avec l'opposition et de reconstituer un système d'alliance. La participation marocaine au conflit israélo-arabe d'octobre 1973 est un premier pas vers une opposition prompte à s'enflammer pour la cause arabe. Elle a momentanément suscité une adhésion populaire massive qui ne peut qu'inviter le régime à rechercher les conditions de l'unanimité nationale.

Le Sahara occidental est un territoire désertique de 266 000 km^2 réclamé de longue date par l'Istiqlâl. Toujours colonisé par l'Espagne franquiste en 1973, il allait donner au régime l'occasion de forger l'Union sacrée. En 1972, l'Assemblée générale des Nations unies avait prévu le règlement de la colonisation du Sahara occidental par la tenue d'un référendum d'autodétermination. Le Sahara compte 60 000 habitants autochtones, mais la résistance saharienne estime que 300 000 Sahraouis sont réfugiés dans les pays voisins (Maroc, Algérie, Mauritanie). En mai 1973, une conférence tripartite des ministres des Affaires étrangères de ces trois États se réunit à Nouakchott, capitale de la Mauritanie. Ni l'Algérie ni la Mauritanie n'acceptent vraiment la thèse marocaine qui voit la récupération du Sahara comme la dernière grande étape de la libération nationale.

Le 10 mai 1973 est créé au Sahara, contre l'occupant espagnol, un nouveau mouvement au sein de la mouvance nationaliste sahraouie, le Front Polisario (Front populaire de libération de la Seguiet el Hamra et du Rio de Oro). Les premières actions armées au Sahara (depuis Écouvillon) se déroulent dès le 20 mai. Dans la foulée, le sommet tripartite d'Agadir du 21 juillet conforte l'option de l'autodétermination, tout en dénonçant les menées espagnoles.

En avril 1974, les autorités espagnoles décident d'accélérer la tenue d'un « référendum d'autonomie » pour 1975. Madrid informe les chancelleries de sa volonté d'offrir une grande, autonomie au territoire qu'elle envisage de maintenir sous son aile. Hassan II réagit aussitôt, manifestant une fermeté d'autant plus vive que l'opinion nationaliste s'enflamme. L'indépendance n'a pas encore vingt ans d'âge, et le nationalisme demeure une idéologie puissante. En mai, les partis et des personnalités politiques d'opposition assurent le roi de leur soutien en faveur du retour du Sahara à la mère patrie, vite identifié comme une Alsace-Lorraine des Marocains.

Alors que l'Espagne franquiste est affaiblie par une crise de succession qui se prépare et que l'empire colonial portugais s'effondre, le roi prend prétexte de la promulgation par l'Espagne du statut d'autonomie interne du Sahara pour s'adresser à la nation le 8 juillet 1974. Il annonce que l'année à venir sera consacrée à la « libération territoriale du Maroc ». Une puissante campagne médiatique en faveur de la cause nationale enflamme le pays. Les conditions politiques de la réconciliation entre le Palais et l'opposition semblent réunies.

7. L'opposition se rapproche du Palais

En mai 1974, une vigoureuse campagne de presse, journaux d'opposition en tête, s'en prend au plan d'autonomie espagnol. Le 24 mai, le leader du Parti communiste marocain, interdit depuis 1969, Ali Yata, envoie à Hassan II un mémoire, dans lequel il affirme son soutien au Palais pour la récupération des territoires colonisés. A. el Fassi, en visite au Koweït, s'adresse aux pays arabes pour obtenir leur appui à la cause marocaine. Les autres leaders politiques se lancent dans cette campagne qui vise à préparer l'opinion. Cela explique l'enthousiasme qui accueille le discours royal du 8 juillet.

En juin 1974, dans la fureur nationaliste, personne ne prête attention à Abdesslam Yassine, inspecteur de l'enseignement secondaire né à Marrakech, ayant transité par la confrérie mystique Boutchichia qu'il a quittée en 1973, qui adresse à Hassan II une lettre ouverte, « *L'islam ou le Déluge* », dans laquelle il lui intime l'ordre de s'amender et de « revenir à Dieu ». La lettre vaut à A. Yassine, âgé de quarante-six ans, trois années d'internement psychiatrique jusqu'en 1978.

Durant l'été, la campagne nationaliste anti-espagnole se retourne contre l'Algérie et la Mauritanie, accusées de sombres desseins anti-marocains. Le roi pousse son avantage, et délègue les ténors des partis politiques dans les différentes régions du monde, dans lesquelles ils sont chargés de présenter la cause marocaine dans l'affaire du « Sahara spolié » (les istiqlâliens Boubker el Kadiri et M'Hammed Boucetta visitent les pays arabes — A. el Fassi est mort le 13 mai à Bucarest —, A. Bouabid et A. Yata parcourent les pays de l'Est et d'Extrême-Orient, etc.). Cette vaste campagne diplomatique est pour le Palais la meilleure manière de forger l'Union sacrée.

Mais, sur le terrain, les choses ne tournent pas à l'avantage du Maroc. Hassan II déclare, le 20 août 1974, dans un nouveau discours à la nation, que l'autodétermination du Sahara signifie sa réintégration au Maroc. Or le deuxième congrès du Polisario (du 25 au 30 août) se prononce pour une « indépendance totale » du Sahara occidental. Les conditions d'une guerre sont remplies et acceptées. D'ailleurs, dès cette date, les premiers accrochages militaires se produisent dans le Sud marocain, et le général A. Dlimi est nommé commandant de la zone militaire Sud. Les opérations du Polisario contre le Maroc et l'Espagne s'accentuent en janvier 1975, et l'Algérie lui vient en aide dès février.

8. Vers une libéralisation du régime ?

L'affaire saharienne est devenue cause nationale. Les formations politiques qui y sont engagées en touchent rapidement les fruits. Le 27 août 1974, les communistes se voient autorisés à recréer leur parti, ce sera le Parti du progrès et du socialisme (PPS). À l'automne, l'Istiqlâl élit M'Hammed Boucetta secrétaire général, et appelle à la réactivation de la *Koutla* de 1970. Du 30 novembre au 1er décembre, le troisième congrès de l'UNFP consacre la scission de 1972 et laisse un parti résiduel, mais hostile aux élections générales dans ce contexte, autour de l'UMT et d'A. Ibrahim. Du 10 au 12 janvier 1975, A. Bouabid fonde l'Union socialiste des forces populaires (ou USFP), dont il devient premier secrétaire, entouré par la jeune garde intellectuelle de la « tendance de Rabat ». Le quotidien du parti, *El Mouharir*, reparaît. Est-ce à dire que le pays s'oriente vers une libéralisation ?

Le mouvement marxiste-léniniste marocain, fidèle à l'internationalisme, refuse le consensus de Rabat. En se prononçant pour une autodétermination des Sahraouis, il franchit la ligne rouge que le Palais a tracée. Le consensus suppose en effet à la fois la reconnaissance de la monarchie et de la marocanité du Sahara. Début novembre, lors du sommet arabe de Rabat, au cours duquel la Mauritanie et le Maroc se partagent secrètement le Sahara, A. Serfaty, un des tenants de cette position, est capturé après deux ans et demi de clandestinité. Il entame un séjour au Derb Moulay Chérif de Casablanca, en compagnie de nombreux étudiants marxistes-léninistes marocains. L'étudiant Abdellatif Zeroual y meurt sous la torture.

Pour les formations ayant accepté le consensus, il s'agit de mettre en place les institutions de la Constitution de 1972. En janvier 1975, Hassan II a rencontré A. Bouabid, son principal adversaire légaliste. « Consensus » semble rimer avec libéralisation. Dans son discours du 3 mars, le roi annonce l'élection d'un Parlement. Elle aura lieu en octobre 1975. Mais les promesses tardent à s'accomplir. Le gouvernement d'Union sacrée promis reste lettre morte, tandis qu'Ahmed Osman, beau-frère du roi, est Premier ministre depuis avril 1974.

Le 16 octobre 1975, la Cour internationale de justice de La Haye, saisie par l'ONU en décembre 1974 à la demande de Hassan II, rend son avis. Nuancé, il évoque l'allégeance historique de certaines tribus sahariennes au sultan chérifien. Considérant qu'il consacre la marocanité historique du Sahara, le roi annonce le même jour, dans un discours demeuré célèbre, la tenue prochaine d'une Marche Verte, aux couleurs de l'islam.

LE MAROC DE HASSAN II
DU CONSENSUS À L'ALTERNANCE
(1975-1999)

VI / De Dlimi à Basri, le Maroc des « années de plomb » (1975-1990)

1. La Marche Verte

La « Marche Verte » pacifique et populaire à laquelle Hassan II invite son peuple, le 16 octobre 1975, a pour objectif la réintégration des « provinces du Sud ». Elle vise à forcer l'Espagne à décoloniser le territoire, tout en mettant les concurrents algérien et sahraoui devant le fait accompli de la souveraineté marocaine. La Marche est préparée de manière militaire, dans une ambiance de mobilisation et de liesse patriotique savamment orchestrées. Marrakech, où le roi s'installe avec son gouvernement, devient pour un temps la capitale du royaume ; 350 000 marcheurs sont recrutés dans toutes les provinces. De la sorte, les régions seront irriguées par la bonne parole, au retour des marcheurs, à une époque où le monde rural dominant vit en dehors de toute couverture médiatique. Les camions du pays sont mobilisés pour conduire les marcheurs à Tarfaya, à la frontière du Sahara espagnol. Ce convoi épique doit s'élancer le 28 octobre 1975.

Les tractations vont cependant bon train avec la Mauritanie et l'Espagne. Cette dernière tente par tous les moyens de surseoir à la marche, tandis que la tension monte fortement avec Alger. La marche est retardée de trois jours, signe qu'un accord est possible avec l'Espagne, malgré l'hostilité totale du Polisario. Puis, alors que les milliers de marcheurs continuent d'être rassemblés dans le Sud, le roi annonce que la marche aura lieu s'il n'y a pas d'accord. En réalité, les choses sont allées trop loin pour le pouvoir qui joue là une véritable relégitimation de son autorité. Vis-à-vis des tribus sahariennes jugées dissidentes, cette marche n'est pas sans rappeler les *rezzous* punitifs du Makhzen contre les tribus refusant l'allégeance (K. Mohsen-Finan, 1997). Plus largement, la Marche Verte apparaît comme l'acte de refondation du règne de Hassan II (*Le Défi*, Hassan II, 1976). Le roi devient le « Réunificateur » de la patrie, succédant à son père, le « Libérateur ».

Or, le contexte est favorable puisque le général Franco est plongé dans le coma (il meurt le 20 novembre suivant). La marche commence le 6 novembre 1975, à l'étonnement du monde entier, et au désespoir du Conseil de sécurité de l'ONU qui craint le pire. Les premiers marcheurs franchissent la frontière, munis d'exemplaires de Coran et de drapeaux verts et rouges aux couleurs du Maroc et de l'islam. Cela donnera lieu, jusqu'à la fin du siècle, à une multitude de représentations iconographiques à la gloire du régime. Les 350 000 marcheurs désarmés sont encadrés par 20 000 soldats des FAR. L'armée espagnole a reçu l'ordre de ne pas faire barrage à cette foule ni *a fortiori* de tirer. Le 9 novembre, après trois jours et quelques kilomètres, le roi arrête la marche. Ses objectifs politiques et symboliques sont atteints.

Politiquement, la marche a suffisamment impressionné les Espagnols (notamment Juan Carlos qui arrive au pouvoir) pour qu'elle accélère leur repli du Sahara. Le 14 novembre 1975 est signé l'accord tripartite de Madrid sur le Sahara occidental entre le Maroc, l'Espagne et la Mauritanie. Il consacre le partage du territoire entre le Maroc (qui reçoit la Seguiet el Hamra, riche du phosphate de Boucraa) et la Mauritanie (Rio de Oro). Le 11 décembre 1975, 4 000 soldats des FAR entrent dans Laâyoune (principale ville de la Seguiet el Hamra). L'accord de Madrid a éconduit les deux autres parties prenantes de la crise, l'Algérie, furieuse de la « trahison » mauritanienne, et le Polisario.

2. Guerre avec l'Algérie puis avec le Polisario

Le 27 janvier 1976 commence la guerre au Sahara entre le Maroc et l'Algérie, après qu'un F5 de l'armée de l'air marocaine a été abattu au-dessus de la Mauritanie. La première phase de cette guerre est connue sous le nom de campagne d'Amgala (elle dure jusqu'au 15 février 1976). Le président Boumediene a pris, contre l'avis de ses diplomates (A. Bouteflika), le parti des militaires, favorables à une revanche depuis 1963. Les deux pays s'accusent mutuellement d'« expansionnisme », alliant une guerre des mots à la guerre des armes. Les relations diplomatiques sont rompues entre les deux pays en mars 1976, après que plusieurs milliers de Marocains ont été expulsés d'Oranie. Les combats font de nombreux morts des deux côtés.

Le 26 mars 1976, l'Espagne annonce son départ définitif du Sahara. Le Maroc prend officiellement possession de la Seguiet el Hamra, où un gouverneur marocain est installé depuis février à Smara. La guerre prend alors un double visage diplomatique et militaire, et s'installe dans la durée. Dès 1974, le Maroc a montré l'importance de l'opinion internationale dans ce conflit. Or le 20 mai 1976, avec la proclamation de la RASD (République arabe sahraouie démocratique), le Polisario pose le premier acte d'une vaste offensive politique sahraouie, qui allait bénéficier du puissant appareil diplomatique d'une l'Algérie au faîte de son rayonnement tiers-mondiste. Ce premier acte est très symbolique, car il rappelle le GPRA (Gouvernement provisoire de la République algérienne de la guerre d'Algérie), alors exilé au Maroc, et proclame une république qui fait figure d'épouvantail pour la monarchie marocaine.

Après une guerre de mouvement gagnée par le Maroc début 1976, qui oppose, comme en 1963, deux armées conventionnelles, le conflit devient moins classique. Le Polisario calque son action sur celle des mouvements de libération nationale. Les instructeurs algériens instruisent les combattants sahraouis à la guérilla, aux coups de main et aux raids (*rezzous*) destructeurs sur un ennemi statique. Le Polisario mène des attaques sporadiques sur de nombreux fronts, depuis sa base algérienne de Tindouf, ou des confins mauritaniens hors de contrôle. En mai, des raids sont lancés sur Laâyoune et le complexe de Boucraa, obligeant le Maroc à immobiliser une nombreuse troupe. Au passage, des centaines de prisonniers de guerre marocains partent s'entasser dans les camps de Tindouf, où près d'un millier devaient rester au moins jusqu'en 2002.

Début juin 1976, Nouakchott, la capitale mauritanienne, subit l'attaque de 600 Sahraouis lourdement armés. La Mauritanie est le maillon faible du dispositif. En 1976, le Maroc et la Mauritanie auraient perdu 6 500 hommes, 25 avions et hélicoptères, et cédé 345 prisonniers (Santucci, 1985). En 1977, le Polisario concentre ses attaques sur la Mauritanie, où les FAR doivent s'engager. En 1978, les attaques reprennent au Sahara marocain, avec en février l'attaque sur Laâyoune et les durs combats de Bir Lahlou.

Mais le choc vient le 28 janvier 1979 avec la prise de la ville marocaine de Tan Tan, au terme d'un raid spectaculaire qui porte la guerre en territoire marocain non contesté. Les FAR apparaissent dans toute leur vulnérabilité face à de petits commandos mobiles sur leurs pick-up. Les Américains prennent conscience des risques de déstabilisation de la région (en janvier 1979, le Shah d'Iran a été balayé par la révolution islamique). Le 5 août 1979, la Mauritanie renonce à sa part du Sahara (accord de paix séparée d'Alger), vaincue par la détermination du Polisario. Le Rio de Oro est immédiatement investi par le Maroc (août), et les tribus invitées à faire leur *Be'ia* au souverain marocain. L'Algérie et le Polisario se déchaînent contre le Maroc.

La guerre culmine en octobre avec la bataille de Smara, qui fait plus de pertes que les quatre années qui ont précédé (plus de 1 000 morts dans chaque camp selon des sources croisées) ; 15 000 hommes se sont affrontés avec des matériels de plus en plus lourds (Mirages F1 marocains). Pour le Maroc, attaqué dans le cœur phosphatier du Sahara, le bilan est lourd. Au dérèglement économique s'ajoutent un recul militaire et un échec diplomatique, puisque la RASD est reconnue par 35 États (Résolution de La Havane).

3. L'armée au Sahara

Commandant de la zone militaire Sud depuis août 1974, le colonel A. Dlimi incarne le départ de l'armée marocaine vers le Sud, où jusqu'à la fin du siècle seront stationnées l'essentiel de ses unités opérationnelles. Cet envoi de l'armée au Sahara (dont les points les plus éloignés se situent à plus de 2 000 km de Rabat) correspond à une nécessité militaire dans cette guerre de quinze ans commencée en 1976. Elle est aussi, pour le Palais, le moyen de calmer la tension avec l'état-major, et d'éloigner l'armée en lui donnant une mission pour le salut de la patrie. La troupe et son encadrement ont été humiliés par ce qui s'est passé après les putschs. La présence de plusieurs dizaines d'hommes à Tazmamart, connue au sein de l'armée, entretient une rancœur tenace.

Envoyer l'armée au Sahara est le moyen de redorer son blason, après son envoi au Moyen-Orient (Égypte et Syrie) à la fin 1973, et de l'impliquer dans le projet national. Au lendemain de la campagne d'Amgala, A. Dlimi est promu au rang de colonel-major, en compagnie de 22 lieutenants promus colonels. Hassan II, créateur des FAR et « réunificateur » de la patrie, s'appuie pleinement sur son armée. Au point de vue idéologique, politique et militaire, elle trouve pleinement sa place dans le *défi* hassanien.

Dans ses nouvelles fonctions pour la conduite des opérations militaires, A. Dlimi se révèle fin stratège, malgré les difficultés de cette guerre. Entièrement loyal vis-à-vis du roi, il est omniprésent et devient indispensable. Le roi est en contact permanent avec lui. L'armée marocaine a par ailleurs besoin de la logistique, du soutien et de l'aide militaire de ses alliés. Dlimi, là encore, est l'homme de la situation et des contacts (établis à l'époque du Cab 1).

Au plan de la diplomatie, Dlimi négocie secrètement dès 1977 avec le Polisario, non sans l'aide d'A. R. Guédira, le proche conseiller du roi. Néanmoins, Dlimi, qui conserve des liens avec Sadate et les généraux algériens, est partisan d'une entente avec Alger. Le roi l'envoie en 1978 négocier une solution à la crise saharienne avec les Algériens. Accompagné d'A. R. Guédira, il rencontre une douzaine de fois le ministre algérien des Affaires étrangères Ahmed Taleb Ibrahimi à Genève. Mais la disparition de Boumediene le 27 décembre 1978 repousse une solution à la crise.

Au plan militaire, Dlimi est en première ligne après les graves échecs militaires de 1979 puis 1980 (prise du port de Laâyoune en septembre). Depuis octobre 1979, le Maroc a décidé une stratégie plus offensive dans la conduite de la guerre. Des missions d'experts étrangers, égyptiens, américains et français, sont appelées à la rescousse pour réorganiser une armée durement affectée moralement. En novembre, le soutien politique et militaire des États-Unis prend toute son ampleur dans l'opération « Ohoud », qui déploie 7 000 hommes sur le terrain. L'armée marocaine s'organise pour une guerre d'usure, longue et coûteuse.

Dlimi est chargé de coordonner les opérations entre les sept secteurs militaires nouvellement créés au Sahara. Les FAR voient leurs moyens humains et matériels considérablement augmentés (20 000 hommes sont engagés en mai 1980 pour dégager la ville de Zag). Mais, face aux attaques meurtrières répétées du Polisario (qui dispose de 20 à 30 000 combattants), le Maroc risque de subir un affaissement économique à la mauritanienne. C'est le pari du Polisario.

A. Dlimi envisage alors en 1980 la construction de murs de protection du Sahara, d'orientation nord-sud. Non sans l'aide et le conseil actif d'Ytzhak Rabin (alors général d'active de Tsahal) et des experts israéliens auxquels Dlimi est lié de longue date, il concentre l'armée autour du « Sahara utile ». Celui-ci incorpore les villes littorales et le grand gisement phosphatier de Boucraa. Ce territoire est protégé par un long mur de terre et de sable de plusieurs centaines de kilomètres de longueur, protégé par des champs de mines et des fossés. Cette ligne de défense est construite en 1981 et 1982. Le Polisario allait perdre l'offensive, cantonné à des opérations de plus en plus limitées.

4. L'invention du consensus

Sur fond de guerre et de dérèglement progressif de l'économie marocaine, cette nouvelle période allait servir de laboratoire politique. Il s'agit pour le pouvoir de renouer les fils du dialogue avec son opposition issue du mouvement national (les nationalistes de l'Istiqlâl et la gauche de l'USFP). La coopération était rompue depuis les années soixante. La campagne diplomatique de 1974 et la libéralisation relative, avec la tenue des congrès des partis politiques en 1975, ont montré que la vie politique et de meilleures relations entre le Palais et l'opposition étaient à nouveau possibles dans cette phase exceptionnelle.

Pourtant, les choses ont mal commencé, avec l'assassinat du leader de l'USFP Omar Benjelloun le 18 décembre 1975. Dix ans après la mort de Ben Barka, ce crime, dans lequel ont vraisemblablement trempé les services secrets et des activistes islamistes du mouvement de la *chabiba Islamiya*, a réactivé la charge symbolique de l'affaire Ben Barka. Il maintient un vif contentieux entre le pouvoir et la gauche, si l'on fait abstraction du consensus saharien. D'autant que, durant l'hiver 1975-1976, l'emprisonnement de la majorité des cadres d'*Ilal Amam* montre que la répression est loin d'avoir disparu. En mai 1977, le procès de Casablanca (groupe des 178 marxistes-léninistes) jette des dizaines de jeunes militants à la prison centrale de Kénitra en compagnie d'A. Serfaty (J. Mdidech, 2 000). Quarante-quatre sont condamnés à perpétuité.

À partir de 1976 néanmoins, le processus démocratique promis semble se remettre en marche. Le pouvoir doit s'attacher la fidélité des partis politiques à un moment où l'armée reprend de l'ascendant avec la guerre. Dans son discours du 8 juillet 1976, le roi annonce l'organisation des trois niveaux d'élections prévus par la Constitution de 1972. Il s'agit de promouvoir des scrutins représentatifs, mais dans le cadre d'un unanimisme de circonstance. Son cousin et ardent thuriféraire, Moulay Ahmed Alaoui, directeur du quotidien officieux *Le Matin du Sahara*, évoque le concept de « démocratie hassanienne ». Jusqu'à l'« alternance » de 1998, le maître mot de la vie politique devient le « consensus ».

Par ailleurs, en septembre 1976, une charte des collectivités locales est mise en œuvre, qui amorce la décentralisation. Louable dans ses objectifs, elle vise à rapprocher les sujets de leur administration. Cette réforme allait pourtant devenir contreproductive. Elle donne en effet une autonomie croissante aux élus et responsables locaux, créant ainsi des centaines de fiefs à travers le royaume, soumis au bon vouloir du potentat local sous la tutelle du ministre de l'Intérieur. Ainsi, Casablanca sera à terme divisée en 27 communes, représentées par 1 200 élus. Ces clientèles de l'Intérieur, chargées de tenir le pays, ont en contrepartie la liberté de s'enrichir par toutes sortes d'activités. C'est la base du futur « système Basri ».

Le 12 novembre 1976 ont lieu les premières élections. Il s'agit de la première pierre du « processus démocratique ». Avec 43 000 candidats (dont 20 000 « indépendants », qui sont en réalité des candidats de l'administration), la campagne électorale des communales et des municipales est dominée par l'USFP et l'Istiqlâl (qui peuvent, de manière inédite, accéder aux médias publics). Mais les « indépendants » remportent la majorité des sièges. L'Istiqlâl est le deuxième parti politique après le Mouvement populaire d'Aherdane, et l'USFP est quatrième.

5. L'alternance limitée de 1977 accélère l'arabisation

Le 3 mars 1977, le roi appelle les leaders des partis politiques à entrer au gouvernement pour préparer le scrutin législatif. MM. Boucetta (PI), Bouabid (USFP), Aherdane (Mouvement populaire) et Khatib (MPDC, Mouvement populaire, démocratique et constitutionnel de 1967) entrent au

gouvernement. En mars se déroulent les élections professionnelles, qui élisent au second degré, avec les conseillers municipaux, un tiers des députés du Parlement. Largement remportées
par les « indépendants », elles sont jugées « falsifiées » à 100 %
par le leader de l'Istiqlâl M. Boucetta. Au gouvernement, les
dirigeants politiques participent néanmoins à la préparation des
législatives qui se déroulent le 2 juin 1977.

La troisième Chambre du Maroc indépendant, prolongée de
deux années, couvre la période 1977 à 1983. Le découpage électoral des 176 circonscriptions a été réalisé à l'avantage des zones
rurales. Les « indépendants » constituent le premier groupe
(81 élus sur 176 sièges). Ajoutés aux 29 élus du Mouvement
populaire, les candidats du Palais sont majoritaires. Cette situation tient à la nature du scrutin, au légitimisme des zones rurales,
à l'activisme de l'administration (dénoncé par l'opposition),
mais aussi à l'effet consensuel lié au Sahara.

L'Istiqlâl est le premier parti à la Chambre avec 46 sièges.
Cela conforte sa volonté de revenir au gouvernement. L'USFP
en revanche est humiliée avec 15 élus. A. Bouabid est battu dans
le fief USFP d'Agadir, et le Souss, bastion du parti, n'a élu
aucun député USFP... A. Bouabid démissionne du gouvernement, et son parti devient pour vingt ans l'opposition parlementaire au pouvoir. Le 26 novembre 1978, la création d'une nouvelle centrale syndicale, la Confédération démocratique du
Travail (CDT) de Noubir Amaoui, dote le parti d'une assise dans
le monde du travail.

Le 21 juin 1977 se déroulent les élections pour le troisième
tiers du Parlement. Les « indépendants » ont 141 sièges à la
Chambre (sur 264 parlementaires), soit la majorité absolue, et
l'Istiqlâl, 51 (soit moins du cinquième). Le 12 octobre 1977 est
nommé le nouveau gouvernement. A. Osman reste Premier
ministre, mais l'Istiqlâl revient au gouvernement (5 ministres et
3 secrétaires d'État). Son secrétaire général M. Boucetta est
ministre des Affaires étrangères, et Azeddine Laraki ministre de
l'Éducation nationale. Le roi neutralise ainsi la surenchère nationaliste du parti dans une période cruciale. Et il lui offre une
compensation idéologique avec la relance de l'arabisation de
l'enseignement.

Elle constitue en effet la grande réforme lancée en 1978 par
A. Laraki (l'arabisation du secondaire s'échelonne de 1978 à
1989). Cette politique répond à la fois à des considérations idéologiques (l'arabisation réclamée depuis l'indépendance),

politiques (saper les bases de la pensée critique à l'école pour contrer la contestation de gauche) et à des intérêts sociaux très précis. Les grandes familles de notables qui dirigent le parti sont très marquées par l'éducation française. Leurs enfants vont dans les écoles françaises de la « Mission » du Maroc. Ainsi, l'arabisation apparaît comme le moyen d'écarter la concurrence nouvelle des classes moyennes entrées à l'Université depuis 1965, et qui ont montré leurs aspirations révolutionnaires (Vermeren, 2002). Car les meilleures filières du supérieur resteront francophones.

En 1978, le Premier ministre tente de donner une cohésion partisane et idéologique à sa majorité parlementaire. En octobre, il crée le Rassemblement national des indépendants (RNI), lointain héritier du FDIC d'A. Guédira. Ce parti monarchique constitue la base parlementaire du régime pendant les années quatre-vingt. Par opposition à la gauche USFP, le RNI devient la formation de droite, laissant à l'Istiqlâl le champ du nationalisme arabo-islamique.

Cette législature se déroule durant les pires années de la guerre au Sahara. La scène politique est clarifiée et le consensus établi. La question sécuritaire reste pourtant très vive. Le 11 décembre 1977, la mort de Saïda Menhebi, sœur de l'ancien président de l'UNEM, dans une grève de la faim, rappelle que le contentieux avec les jeunes marxistes ne se règle que par la force. Un an plus tard, le 29 mars 1979, la promotion de Driss Basri, secrétaire d'État à l'Intérieur depuis 1976, au poste de ministre de l'Intérieur (gouvernement Maâti Bouabid) montre que la sécurité intérieure est prise très au sérieux.

La question des prisonniers politiques, non reconnus comme tels, est mise en avant par une partie de la gauche. C'est sur cette base que s'institutionnalise la première organisation de droits de l'homme au Maroc, l'Association marocaine des droits de l'homme (AMDH), lors de son congrès constitutif du 24 juin 1979.

6. La catastrophe économique débouche sur les émeutes de 1981...

Malgré l'endettement rapide du quinquennat 1973-1977 et la chute du prix du phosphate qui se confirme en 1978, le pouvoir refuse que le cinquième plan (1978-1982) soit soumis à l'austérité. Le pays mène une guerre difficile et coûteuse au Sahara, structurellement inflationniste, mais le pouvoir a besoin de maintenir une vigoureuse croissance pour la faire accepter par les couches pauvres. Or en 1979 le Maroc est frappé par le second choc pétrolier (qui pénalise son industrie), puis par le retour de la récession en Europe en 1980 (qui pénalise les exportations), année où le Maroc entre en crise agricole. Le Maroc traverse alors cinq années de tous les dangers, durant lesquelles son endettement extérieur explose, passant de 8,57 milliards de dollars en 1978 à 13 milliards en 1983.

Par ailleurs, le pays subit de 1980 à 1984 sa première grande vague de sécheresse, phénomène structurel durant les vingt dernières années du siècle. Elle provoque une détresse dans des campagnes saturées par l'expansion démographique. Habitués de manière ancestrale à tenir trois années sur une bonne récolte dans ce pays semi-aride, les fellahs ne peuvent plus faire face quand la sécheresse excède cette durée. Ils tombent dans le surendettement, tandis que des milliers de jeunes et de familles entières quittent les campagnes pour s'installer dans les ceintures de bidonvilles des grandes villes.

Le premier effet de cette conjonction entre l'endettement de l'État et la crise agricole est le retour des émeutes, les plus importantes depuis mars 1965. À nouveau, Casablanca, premier réceptacle de la misère et de l'exode rural, s'embrase. Les 20 et 21 juin 1981, la ville se soulève dans une gigantesque jacquerie, après que le pouvoir eut annoncé (28 mai) une augmentation du prix des produits de base subventionnés (farine, sucre, beurre), politique entreprise sur recommandation du FMI depuis 1978. L'appel à la grève générale de la CDT pour le 20 juin a dérapé. Avec 3,2 millions d'habitants, dont un quart vivant en bidonvilles et 1,9 de moins de vingt ans, la ville est une vraie poudrière. 70 % des jeunes de quinze à vingt ans ne sont pas scolarisés, et désœuvrés pour la plupart (Santucci, 1985). Casablanca est soumise au pillage de tous les symboles de la richesse (banques, autoroute, voitures). La répression fait plus de victimes qu'en 1965. On dénombre des milliers d'arrestations et de nombreux morts (66 selon le pouvoir, de 600 à 1 000 selon l'Association des Marocains de France).

Néanmoins, le gouvernement recule et rétablit la subvention du pain. Cela rejaillit sur des finances publiques exsangues, et précipite la crise de la dette. En 1981, le déficit du trésor atteint 17,6 % du PIB.

7. ... Et la politique d'ajustement structurel (1983-1993)

La crise polonaise de 1981 amorce la crise mondiale de la dette. Elle rebondit en 1982 au Mexique et plonge le tiers monde (hors Asie) dans une décennie sans croissance. Le Maroc est au premier rang des pays surendettés violemment touchés par cette crise. Comme de nombreux pays du tiers monde, il est fauché par la conjonction inédite de quatre facteurs qui le laissent exsangue, et sur lesquels il n'a guère de prise : la hausse du dollar depuis 1979, l'amorce de la désinflation mondiale, le retournement des taux d'intérêt réels qui deviennent positifs et la captation mondiale des capitaux par les États-Unis.

Certes, depuis 1978, on évoque un plan d'assainissement et de stabilisation, mais le régime ne peut l'accepter pour des raisons politiques, militaires et de sécurité intérieure. En août 1983, le Maroc n'a plus devant lui que deux semaines d'importations en réserves monétaires. Il est au bord de la banqueroute. Le pays est obligé de passer sous les fourches caudines du FMI et de la Banque mondiale, et d'engager un Programme d'ajustement structurel (ou PAS) qui devait durer dix ans. Des mesures très contraignantes de gestion lui sont imposées. Il s'agit de restaurer les équilibres macroéconomiques internes et externes, de restructurer l'économie réelle pour jeter les bases d'une croissance saine. Il s'agit enfin de rendre possible le remboursement de la dette extérieure, qui est depuis périodiquement rééchelonnée.

Conformément à la stratégie libérale qui a alors les faveurs du FMI, l'économique est jugé prioritaire sur le social. Cela se traduit par l'austérité budgétaire imposée : blocage pour plus de dix ans des salaires des fonctionnaires (hormis les enseignants du supérieur) et baisse des subventions. Dans un contexte de sécheresse, de telles mesures ont des conséquences sociales explosives. Trois ans après Casablanca, de nouvelles villes du royaume sont touchées le 19 janvier 1984 par de violentes émeutes du pain. À Tétouan et à Nador dans le Rif, on relève une centaine de morts.

Économiquement, le Maroc s'engage dans une réforme de libéralisation. En effet, malgré l'option libérale choisie par le roi, le pays vit dans une économie mixte protégée de la concurrence et soumise à la double règle du patrimonialisme et des monopoles. Le FMI presse le pays de réduire ses droits de douane (qui passent en quelques années de 400 à 40 %), de libéraliser le commerce, de réformer le système financier et d'amorcer les privatisations (lancées en 1992). En 1987, le Maroc adhère au GATT en signe de ces changements.

Pourtant, malgré ces efforts, l'endettement n'est pas maîtrisé. L'absence de financement externe fait exploser la dette interne, qui passe de 25 milliards de dirhams en 1979 à 170 milliards en 1989. Et bien qu'il ait remboursé 27 milliards de dollars au titre de la charge annuelle de la dette entre 1983 et 1995, le Maroc double son endettement dans la période (22 milliards de dollars en 1995 contre 13 milliards en 1983). L'inflation est peu à peu vaincue, mais la croissance du PIB en termes réels est retombée à 3,5 % par an durant les années quatre-vingt. Non seulement elle est deux fois moins élevée que durant les années soixante-dix, mais elle est très irrégulière (violente récession en 1987), et surtout très faible rapportée au nombre d'habitants (1 % de croissance réelle car la démographie progresse de 2,4 % par an). Le chômage atteint 20 % à la fin de la décennie et les indicateurs sociaux sont calamiteux (plus de 50 % d'analphabètes).

8. La disparition de Dlimi laisse libre champ à l'Intérieur

Au printemps 1981, les événements du Sahara pèsent sur le climat politique. Fin mars a lieu une violente bataille à Guelta-Zemmour. Après une nouvelle offensive du Polisario en territoire marocain, le souverain dénonce l'interventionnisme de l'Algérie et de la Libye. Dans la perspective de la conférence de l'OUA de Nairobi en mai 1981, le Maroc lance en mai une offensive diplomatique de grande ampleur pour défendre ses positions. Cinq jours après les émeutes de Casablanca, le 25 juin 1981, Hassan II annonce à Nairobi un « référendum contrôlé » au Sahara.

Conforté par la construction du mur et l'apparente solidarité de nombreux pays africains (réconciliation avec Kadhafi), le Maroc s'estime en position de force. Il propose un référendum aux habitants du Sahara. La conférence de Nairobi se termine par le compromis voulu par Rabat. Mais une polémique s'engage avec le Polisario et ses alliés, si bien que le roi doit préciser que le référendum proposé est « confirmatif ». Fin août, une nouvelle réunion se déroule à Nairobi, en présence du Maroc et de l'Algérie, qui précise que le référendum « d'auto-détermination » nécessite une médiation onusienne. Nairobi II suscite une crise politique interne à l'initiative de l'USFP, qui réclame un référendum populaire contre cet abandon de souveraineté. En septembre 1981 A. Bouabid, M. el Yazghi et M. Lahbabi, membres du BP de l'USFP, sont condamnés à un an de prison et assignés à résidence à Missour dans l'Oriental.

À la mi-octobre, le Polisario montre qu'il est vain de vouloir se passer de lui, et engage de lourdes forces dans une nouvelle bataille de Guelta-Zemmour. Des centaines de combattants marocains sont tués ou prisonniers, et des armements lourds (deux Mirages F1) détruits. Le processus de paix semble réduit à néant, réactivant la présence américaine sur le terrain aux côtés du Maroc (printemps 1982), et poussant le Comité de décolonisation de l'ONU à réclamer un référendum « libre et régulier »… Durant l'hiver 1982, l'admission de la RASD à l'OUA provoque un retrait du Maroc et de ses alliés (minoritaires) du Conseil des ministres. Pourtant, sur le terrain, la stratégie du mur est payante. Plusieurs attaques lourdes du Polisario s'y cassent les dents en 1982, et l'exploitation du phosphate reprend à Boucraa après six ans d'arrêt.

Hassan II envisage de rencontrer le président algérien à Alger en décembre, comme l'y encourage le roi Fahd d'Arabie Saoudite. Mais le Polisario ne renonce pas et appelle de ses vœux un effondrement économique ou une explosion sociale. Or le Maroc est au bord de l'asphyxie économique.

Est-ce pour ces raisons que des officiers supérieurs, forts de leur position sur le terrain, tentent une négociation parallèle secrète avec Alger ? Craignent-ils un effondrement du moral de l'armée, stationnée depuis bientôt dix ans dans la fournaise saharienne, en cas d'attaque massive du Polisario ? Diverses sources convergent pour attester la préparation d'un nouveau coup d'État militaire. Le 25 janvier 1983 décède le tout-puissant A. Dlimi, l'architecte de la guerre au Sahara. Huit jours avant sa mort, plusieurs officiers supérieurs, dont le colonel Bouattar (chef des commandos de la garde royale), disparaissent. Et l'armée marocaine est placée en état d'alerte les 25 et 26 janvier. La CIA, ferme soutien du régime marocain, aurait dévoilé ce complot, établi sur la base d'un accord entre Dlimi, la Sécurité militaire algérienne et le Polisario. D'après l'officier exilé Ahmed Rami, A. Dlimi, impliqué, aurait été tué au Palais royal et sa mort maquillée en accident.

Cette disparition est suivie, le 26 février 1983, par une rencontre entre Hassan II et Chadli Bendjedid, aux résultats peu convaincants. À l'intérieur du royaume, la disparition

Driss Basri

D. Basri est originaire de Taounat dans le Nord. Il est né à Settat où travaillait son père en 1938. Celui-ci a émigré à Rabat où il est simple *chaouch* (agent de service). Scolarisé dans son quartier, D. Basri quitte l'école pour devenir petit policier. Mais il s'inscrit en capacité en droit, et passe sa licence à la fin des années 1960. Gravissant les échelons de la police, il devient commissaire principal de la Sûreté nationale de Rabat. Le 12 janvier 1973, le ministre de l'Intérieur M. Benhima le nomme directeur général de la DST. D. Basri soutient parallèlement un DES à la Faculté de droit de Rabat, intitulé *L'Agent d'autorité* (publié en 1975). Il est dès lors chargé d'enseignement à l'Université Mohammed V de Rabat. En avril 1974, il devient secrétaire d'État à l'Intérieur du second gouvernement Osman.

En mars 1979, il devient pour vingt ans ministre de l'Intérieur. Il soutient en 1987 un doctorat d'État à Grenoble, *L'Administration territoriale, ordre public et développement*. Professeur à l'Université Mohammed V, il enseigne aux princes héritiers dans les années 1980. Le vivier des professeurs de cette Université, dans lequel il puise, lui permet d'établir le contrôle politique et intellectuel de ce qui devient jusqu'en 1999 le « Système Basri ». Fin connaisseur du Makhzen malgré ses origines populaires (il dit avoir épousé une Slimani d'origine chérifienne), se présentant comme le fidèle serviteur de Hassan II, D. Basri construit un système de pouvoir opaque, irrigué par l'argent de la corruption, dont il détient les ficelles.

Durant ces années, il est la bête noire de l'opposition qui associe son nom aux « années de plomb ». Maître de l'appareil répressif, D. Basri devient l'homme fort du Makhzen, s'occupant de tous les dossiers touchant à la sécurité intérieure et extérieure (il dirige la DST). Après avoir orchestré la campagne dite « d'assainissement » en 1995-1996, qui rappelle à la bourgeoisie libérale la prééminence du Makhzen, il est l'artisan du processus conduisant à l'alternance de 1998. Pour devenir Premier ministre, A. Youssoufi doit accepter de partager son gouvernement avec l'encombrant ministre de l'Intérieur. Considéré comme le principal obstacle à la politique gouvernementale, il est révoqué le 9 novembre 1999 par le roi Mohammed VI, qui entretient avec lui des relations exécrables.

d'A. Dlimi crée un vide dans l'appareil militaro-sécuritaire. Convaincu que l'armée est dangereuse, le roi comprend qu'il lui faut durablement s'appuyer sur l'Intérieur et ses multiples services. Driss Basri apparaît comme le nouvel homme de la situation. Pendant quinze ans, le fidèle serviteur du Trône allait conquérir toutes les cartes du pouvoir. Alors que l'armée est stationnée au Sahara (où ses effectifs finissent par dépasser les 150 000 hommes), même la gestion du dossier saharien finira par passer aux mains de D. Basri.

9. Une vie politique anémiée

Alors que la vie politique semblait avoir trouvé un point d'équilibre, la répression a repris en 1981 contre l'USFP et la CDT. Les émeutes de juin ont suscité un durcissement du régime, qui s'abat sur les militants et responsables de gauche, accusés d'avoir fomenté la révolte en cette période cruciale pour le Maroc au plan international. Une centaine de cédétistes sont arrêtés, puis autant de militants de l'USFP. Une nouvelle série de procès expéditifs commence, à l'instar de celui intenté au responsable du parti à Rabat, l'ancien bâtonnier Me Benameur, qui soulève l'indignation. Alors que la répression s'abat sur ces deux forces militantes (plus de 150 militants condamnés), les autres organisations politiques et syndicales ne bronchent pas (XIe congrès de l'Istiqlâl en avril 1982, qui appelle au retour des valeurs de l'islam), aspirées par le consensus saharien et les fonctions de pouvoir auxquelles il permet d'accéder.

Le Maroc s'engage dans une décennie assez plate de sa vie politique. Articulée autour des consultations électorales de 1983 (régionales et communales) et 1984 (législatives), la vie politique est agrémentée par une succession de coups politiques du souverain. L'opposition de gauche est subjuguée par le pouvoir (PPS), réduite au silence (extrême gauche, UNEM) ou tenue en respect (USFP).

En 1983 cependant, une partie de l'extrême gauche tente d'émerger sur la scène politique officielle. Les héritiers du mouvement 23 mars créent l'Organisation de l'action démocratique et populaire (OADP), autour de la figure du vieux résistant de l'AML Mohammed Bensaïd (élu aux législatives de 1984). L'USFP elle-même connaît une scission en mai 1983 (création du Parti de l'action démocratique socialiste [PADS]). Me Benameur reproche à Bouabid d'avoir rencontré le roi pour préparer les élections.

Émergeant d'une décennie de répression, une partie de la gauche tente de promouvoir une action partisane épaulée par l'AMDH. En 1983, les militants frontistes de cette association réclament, pour la première fois, que Tazmamart soit publiquement évoqué. Mais un changement d'époque est en cours. Après les émeutes du Rif de janvier 1984, ce sont les militants islamistes qui subissent les affres de la répression.

Les partis politiques de l'administration connaissent des scissions qui vont vider le RNI d'une partie de sa substance. En

1981, les événements — pour lesquels Hassan II a reconnu la responsabilité du régime — créent une première scission au sein du RNI (Parti national démocrate — PND — en avril). Deux ans plus tard, en mars 1983, le Premier ministre Maâti Bouabid crée sa propre formation, l'Union constitutionnelle (UC), nouveau pivot de la majorité après les élections de 1984.

Ces élections ont lieu les 14 septembre et 2 octobre ; 199 sièges sur 306 sont désignés au scrutin direct. Les partis de l'administration sortent largement majoritaires dans cette Chambre de la quatrième législature (en place pour neuf années, 1984-1993). L'UC est le premier parti, avec plus du quart des sièges (84). Elle est épaulée par le RNI (deuxième formation), le Mouvement populaire (la troisième) et le PND. Avec 216 sièges sur 306 pour la majorité, l'opposition est réduite à la portion congrue, et l'Istiqlâl renvoyé dans l'opposition (43 députés). L'extrême gauche modérée est intronisée à petite dose (2 députés PPS et 1 OADP). En revanche, l'USFP est revenue au niveau de l'Istiqlâl en doublant sa représentation (39 élus).

Pendant neuf années s'engage un jeu de majorités de rechange, composées par le Palais, avec les quatre partis dominant le Parlement. Les événements politiques sont d'importance médiocre. En 1986, après un différend entre A. Guédira et M. Aherdane, le Mouvement populaire tient son congrès à Rabat sans admettre Aherdane. Celui-ci réagira en créant en 1991 à Marrakech le Mouvement national populaire (MNP). C'est le roi qui assure le fonctionnement de la vie publique et de la scène politique. La presse est aux ordres du Makhzen, les partis politiques assagis et la « démocratie hassanienne » regardée avec sympathie en France, comparée au parti unique algérien.

10. Gagner la bataille du Sahara

Avec la construction du mur, la guerre du Sahara entre dans sa seconde phase (1980-1991). Le Polisario réussit rarement à percer le mur, et perd l'initiative dans un conflit où la mobilité avait fait sa force. Pourtant, le roi sait qu'il lui faut gagner la bataille de l'opinion internationale s'il veut imposer au Sahara la solution marocaine. C'est dans cette tâche qu'il s'engage sans relâche.

Au cours des années quatre-vingt, Hassan II mène une diplomatie des coups politiques qui crée sa réputation de fin diplomate, lui attire une sympathie internationale, et fait tomber dans l'oubli, à l'étranger, une situation intérieure critique. Dès 1979, Hassan II devient président du Comité *Al Qods* (le Comité Jérusalem), qui place le Commandeur des croyants marocain en tête de la défense du « troisième lieu saint de l'Islam ». Cette option arabo-islamique internationale permet à Hassan II de se rapprocher des durs du monde arabe, tout en négociant avec l'État hébreu.

Plusieurs événements symbolisent cette double orientation. En août 1984, le traité d'Oujda donne naissance à l'Union arabo-africaine avec la Libye. Elle dure deux ans, jusqu'en 1986, et confirme la réconciliation du Maroc avec l'un des premiers soutiens du Polisario. Mais l'Algérie ne perd pas la main. Après l'admission de la RASD à l'OUA, le Maroc choisit de quitter l'Organisation le 12 novembre 1984, créant une crise au sein de la diplomatie africaine.

Pour conforter son image de faiseur de paix et de messager de la tolérance, Hassan II accueille, le 19 août 1985, le pape Jean-Paul II à Casablanca. Le chef des catholiques s'adresse pour la première fois en tant que tel à des musulmans, en l'occurrence des dizaines de milliers de jeunes gens qui ont été rassemblés dans un stade de la capitale économique. Un an plus tard, Hassan II peaufine son rôle d'homme de paix et de médiateur international dans le conflit du Proche-Orient. Au grand dam des franges les plus pro-palestiniennes du royaume, il franchit le Rubicon le 22 juillet 1986 en rencontrant Shimon Pérès au Palais royal d'Ifrane (Moyen-Atlas).

L'année suivante, Hassan II prend une nouvelle initiative qui défraye la chronique internationale. Le 20 juillet 1987, il dépose la candidature du Maroc à la CEE. Celle-ci refuse quelques mois plus tard, arguant du fait que le Maroc ne se situe pas en Europe.

Plus prosaïquement, le Maroc essaye avec acharnement de consolider sa position au Sahara, ce qui passe par un accord avec Alger, seul interlocuteur valable pour Rabat. Après l'affaire Dlimi et l'échec de la rencontre avec C. Bendjedid, la situation est au point mort. Pendant ces années de crise économique et diplomatique, le Maroc consolide sa position au Sahara, y poursuivant une politique d'investissements de prestige, qui attire plusieurs dizaines de milliers de migrants du Nord. Ceux-ci finissent par dépasser en nombre la population sahraouie.

Au bout de quatre années, Hassan II essaye de renouer le dialogue avec le président Bendjedid. Le 4 mai 1987 commencent les pourparlers officiels entre le président algérien et le roi du Maroc. Après quelques mois, ceux-ci débouchent, le 6 mai 1988, sur le rétablissement des relations diplomatiques entre les deux pays. Le rapprochement des frères ennemis rend possible celui des États du Maghreb, à une époque où les organisations régionales commencent à se développer dans le monde. Le 17 février 1989 est créée l'Union du Maghreb arabe (UMA), dotée d'un secrétariat permanent. Néanmoins, l'échec du référendum et de la médiation onusienne au Sahara, ainsi que la dégradation politique en Algérie, allaient vite paralyser cette organisation. L'UMA se résume pour l'essentiel à des réunions des ministres de l'Intérieur à l'heure de la guerre contre l'islamisme, puis entre en crise ouverte en août 1994.

VI / La longue marche vers l'alternance (1991-1999)

1. Fin de la guerre froide et effet Gilles Perrault

Depuis la fin des années soixante-dix, le « Comité de lutte contre la répression au Maroc » tente d'alerter l'opinion française sur l'état des droits de l'homme et de la répression dans ce pays. La campagne est animée par des exilés politiques et des personnes comme Christine Daure (future épouse d'A. Serfaty, expulsée du Maroc fin 1976). Mais elle se heurte à un mur d'indifférence, soigneusement entretenu par les nombreux responsables français liés au régime marocain. À la fin de l'année 1980, deux frères d'un officier disparu arrivent à Paris, portant des lettres sur papier pelure qui décrivent « le bagne de Tazmamart ». Elles suscitent un article dans la revue *Afrique-Asie* intitulé : « Où sont les cadets d'Ahermouhou ? »

Mais la chape de plomb est totale en cette fin de guerre froide et de montée de l'intégrisme islamique dans le monde. En 1984, la création à Paris de l'Association de défense des droits de l'homme au Maroc (ASDHOM), par des militants démocrates bien informés, suscite peu d'échos. C'est alors qu'au milieu des années quatre-vingt C. Daure et Khadija Bourequat (dont les trois frères ont disparu) sont reçues par un conseiller de François Mitterrand. Informée, Danièle Mitterrand fait savoir qu'elle va tenter quelque chose… Le 3 mars 1986, C. Daure est autorisée à se rendre au Maroc. Elle rend visite à A. Serfaty à la prison de Kénitra, raison pour laquelle elle doit se marier avec lui. En avril 1987, l'évasion réussie des enfants Oufkir, qui parviennent à alerter la presse française avant d'être repris, introduit une seconde brèche dans les « jardins du roi » (M. Oufkir, 1999).

La presse internationale commence à s'intéresser à ce qui se passe dans les geôles du Maroc, évoquant les noms de Kénitra et Tazmamart.

Au Maroc, la pression extérieure rencontre un écho croissant. Le 10 décembre 1988, des universitaires indépendants (le juriste Omar Azzimane) et les partis de gauche (l'usfpéiste Mehdi el Manjra, le PPS) créent l'Organisation marocaine des droits de l'homme (OMDH). O. Azzimane, le premier président, démissionne rapidement car les partis veulent contrôler cette organisation élitiste (150 militants contre plusieurs milliers à l'AMDH, d'inspiration plus radicale — PADS).

En 1990, Amnesty International dénonce à son tour la situation des droits humains au Maroc, et lance une campagne internationale consacrée à ce pays. Le mur de Berlin vient de tomber — novembre 1989 — et l'URSS se décompose. Ce contexte international nouveau place le régime marocain sur la défensive, et libère un espace politique pour dénoncer ce que la guerre froide avait masqué. Conscient de ces évolutions, Hassan II crée le 8 mai 1990 le Conseil consultatif des droits de l'homme (CCDH), institution publique qui vise à répondre aux mouvements des droits de l'homme.

En septembre 1990 paraît chez Gallimard le pamphlet de Gilles Perrault, *Notre ami le roi*, qui entraîne la plus grave crise diplomatique entre la France et le Maroc depuis l'enlèvement de Ben Barka. Le livre est né d'un « complot d'amitié » entre C. Daure-Serfaty et Edwy Plenel, directeur de collection chez Gallimard et rédacteur en chef au *Monde*. Ce dernier propose la plume de G. Perrault, écrivain sous contrat chez Gallimard, sans attache avec le Maroc. La vaste documentation amassée par les militants des droits de l'homme sert de matériau à la synthèse. Malgré ses excès et les libertés prises avec la réalité, (que ce soit par exemple sur la mère du roi ou sur la vision dantesque de Dar el Moqri), ce livre ébranle de manière définitive le mur du silence qui avait entouré les « années de plomb ».

2. La guerre du Golfe rend visible l'islamisme marocain

Au cours des années quatre-vingt s'est opérée une lente maturation de l'islamisme marocain, à l'ombre du consensus saharien. Il est plus que probable que les services de sécurité aient joué avec le feu dans les années 1970, en instrumentalisant sur les campus la *chabiba Islamiya* (jeunesse islamique), première association islamique clandestine, créée en 1969 contre les marxistes. Cette organisation est impliquée, Abdelkrim Moti en tête, dans l'assassinat d'Omar Benjelloun. L'aile radicale armée du mouvement est néanmoins pourchassée, et les rescapés s'exilent. Une aile réformiste se développe avec la création de la *Jamaa islamiya* en 1981. Elle devient en 1990 la matrice d'un islamisme réformiste (dont sont issus les partis islamistes de 2002) accepté par le Makhzen, et destiné à contenir la pression de la base.

Parallèlement, une organisation d'origine mystique se développe autour de la figure charismatique du cheikh A. Yassine. Celui-ci n'est pas enclin à tenir la place que lui aurait assignée le pouvoir. En septembre 1981, il crée une première association, *Ousra Al Jamaa*, consacrée à la prédication. De cette association sort en novembre 1983 *Al Jamaa*, association politique clandestine qui se consacre au travail caritatif de proximité, notamment dans les périphéries urbaines de la misère. La synthèse entre les deux mouvements s'opère en septembre 1987 avec la création d'une association sociale et politique, *Al Adl wa Al Ihsane* (Justice et bienfaisance). Elle reste en 2002 la principale organisation de masse de l'islamisme marocain (M. Tozy, 1999). Le statut de parti politique lui est d'ailleurs refusé.

À la fin des années quatre-vingt, alors que la confrontation entre le pouvoir et les islamistes fait rage en Tunisie, en Égypte et bientôt en Algérie, le pouvoir marocain est sur les dents pour éviter un effet de contagion. Le discours officiel, sur la prééminence du Commandeur des croyants dans l'espace religieux, n'a pas empêché la conquête des universités et de l'UNEM par les islamistes, au cours des années quatre-vingt. Si bien que, le 30 décembre 1989, le cheikh A. Yassine est placé en résidence surveillée à Salé, et son association *Al Adl wa Al Ihsane* interdite.

La seconde guerre du Golfe, commencée le 2 août 1990 par l'invasion du Koweït, accélère la maturation de la mouvance islamiste et de la contestation radicale. Déjà, à l'occasion d'un appel syndical à la grève générale (CDT et UGTM) le 9 décembre 1990, Casablanca est mise en état de siège par les autorités. Le 14 suivant, des émeutes violentes se produisent à Fès, Tanger et Kénitra. Plusieurs dizaines de morts sont relevés à Fès, après que des manifestants des quartiers populaires du nord de la ville ont pris d'assaut et saccagé l'hôtel de luxe évacué des Mérinides.

Cependant, l'islamisme marocain apparaît pour la première fois au grand jour lors de la grande manifestation de Rabat (peut-être un million de manifestants), en soutien au peuple irakien, le dimanche 3 février 1991, trois semaines après le début de la guerre en Irak (Bennani-Chraïbi, 1994). Au milieu des différentes organisations politiques, mais séparés par un puissant service d'ordre discipliné, les islamistes font forte impression. Venus à plusieurs dizaines de milliers, silencieux et de blanc vêtus, les islamistes d'*Al Adl* donnent à leur mouvement une visibilité qui allait planer sur la décennie.

3. Une timide libéralisation du régime

Sous le coup des événements internationaux d'une part, du risque d'épuisement du consensus saharien d'autre part (le 6 septembre 1991, le cessez-le-feu est proclamé au Sahara où arrivent les Casques bleus), et alors que l'USFP et l'Istiqlâl sont toujours dans l'opposition, le pouvoir va relâcher l'étau politique qui enserre la population marocaine. La pression islamiste a aussi dû jouer un rôle, le pouvoir ayant désormais intérêt à s'appuyer sur son opposition historique affaiblie, mais forte de sa légitimité historique. Le décès d'A. Bouabid en janvier 1991, et l'arrivée d'A. Youssoufi à la tête de l'USFP, allaient aussi faciliter cette ouverture. Enfin, D. Basri allait connaître une éclipse passagère, facilitant une sortie en douceur des « années de plomb ».

Le royaume a ratifié, durant les années quatre-vingt, deux pactes internationaux relatifs aux droits de l'homme. Un cadre nouveau a été mis en place. Les premières libérations de détenus politiques ont commencé en mai 1989. Elles se poursuivent durant plusieurs années, ponctuées par des révélations sur les « années de plomb ». Après les événements de décembre 1990 et la grande peur liée à la guerre du Golfe (pendant près de cinq semaines les établissements scolaires sont fermés), le roi reprend le cours de la libéralisation. Le 13 septembre 1991, le plus célèbre prisonnier politique marocain, A. Serfaty, est libéré et expulsé comme Brésilien. Le 23 octobre 1991 survient la libération des survivants de Tazmamart.

Le CCDH est chargé de régler discrètement, et avec une lenteur mesurée, les problèmes liés aux milliers de victimes de la répression des années de plomb (Dalle, 2001). Mais le roi donne une ampleur politique à son action afin de ne pas se limiter à la sortie du tout sécuritaire. Le 21 août 1992, Hassan II présente un projet de réforme constitutionnelle, qui débouche sur la quatrième Constitution de 1993. Le concept de « droits de l'homme » est inscrit dans la Loi fondamentale, ce qui constitue un grand pas juridique. D'ailleurs, dans le gouvernement issu des élections de 1993, un ministère des Droits de l'homme est créé, confié au juriste O. Azzimane. Sous pression, le ministère débloque fin 1994 une pension mensuelle de 5 000 dirhams (500 euros) aux anciens de Tazmamart (Merzouki, 2000). Elle est supprimée en 2002, sous pression de l'avocat Mohammed Ziane, président de l'Association des parents des victimes de Skhirat.

Toujours dans le souci d'apurer les contentieux du passé, un certain nombre de réformes sont ébauchées, et des mesures sont prises. En 1992, une timide révision du code du statut personnel (*moudawana*), qui enferme juridiquement la situation des femmes, est esquissée. Le 6 février 1993, l'arrestation du commissaire des Renseignements généraux, Mustapha Tabit, à Casablanca s'adresse manifestement à l'opinion publique. Accusé de centaines de viols, de chantage et impliqué dans un vaste réseau de prostitution de luxe, cet officier de police entraîne dans sa chute 16 responsables policiers. Le commissaire, soupçonné depuis des années, est jugé et exécuté le 5 septembre 1993. Le message est clair. Malgré l'échec de l'ouverture politique à l'opposition, la libéralisation du régime se poursuit, et le pouvoir s'engage à punir les abus les plus criants. Cette politique allait atteindre son paroxysme deux ans plus tard.

4. L'affaire de la Grande Mosquée

Dans un discours du 20 juillet 1988, Hassan II avait annoncé à son peuple la construction d'une immense mosquée à Casablanca, la deuxième plus grande du monde après La Mecque. La construction de la Mosquée Hassan II de Casablanca s'échelonne de 1988 à août 1993, et coûte 600 millions de dollars.

Souhaitant associer son peuple à cette œuvre, le roi annonce l'ouverture d'une souscription publique qui doit mobiliser toutes les couches sociales. Il donne l'exemple en signant un chèque de 6 millions de dirhams. Dès le 21 juillet 1988, 7 000 bureaux de collecte ouvrent dans le royaume. La totalité du ministère de l'Intérieur (caïds, *moqadems* — échelon inférieur assurant le quadrillage des quartiers —), des structures traditionnelles d'encadrement et des médias publics se mobilisent pour encourager les Marocains à accomplir leur don.

En quarante jours (terme de la collecte), l'État a réuni 4,7 milliards de dirhams (près de 750 millions de dollars). Les milliardaires ont rivalisé de générosité (K. Lamrani donne 20 millions de dirhams), les fonctionnaires de certains ministères ont vu leur salaire amputé d'office de dix jours, les *moqadems* collectent 10 dirhams par personne dans les quartiers populaires, les autorités prélèvent une sorte de dîme en nature sur les fellahs et les douaniers invitent vivement les émigrés à participer à l'effort national. Au total, si l'on ajoute au produit de la collecte celui de diverses contributions publiques, 7 milliards de dirhams ont été réunis.

Cette campagne pour la construction d'une œuvre pharaonique évoque à la fois les ressorts de la mobilisation maoïste, déjà entrevus dans la Marche Verte, mais aussi des ressorts relevant de la *harka* sultanienne médiévale. Elle symbolise tout entière la complexité du règne de Hassan II, qui mêle des strates temporelles très éloignées les unes des autres. Alors que les plans de l'édifice sont confiés à deux architectes français, Bouygues assure le gros œuvre avec toute la puissance de ses moyens techniques (un minaret de 172 mètres construit au bord de la mer, une mosquée en partie édifiée au-dessus des flots de l'océan). Dix mille artisans marocains font revivre des arts ancestraux (mosaïques ou zelliges, stucs, marbrerie, travail du bois de cèdre, etc.).

Les motivations de cette construction sont assez floues. Elle vise à séduire les islamistes en expansion, à rappeler la prééminence du Commandeur des croyants, à mobiliser les foules en une période de crise économique sur fond d'incertitude au Sahara, à doter Casablanca l'occidentalisée d'un ancrage religieux. Elle aurait même relevé de considérations économiques. La ponction de 7 milliards de dirhams opérée sur l'économie marocaine, alors que la Mosquée n'a coûté que 4,7 milliards, permet au Maroc d'accentuer sa lutte contre l'inflation. Elle aurait correspondu aux demandes réitérées du FMI en faveur d'un assèchement de la masse monétaire, que la Banque du

Maroc alimente de manière inconsidérée (2 milliards de dirhams ont peut-être été brûlés ?).

En avril 1993, Hassan II inaugure la Mosquée qui peut accueillir 20 000 fidèles à l'intérieur et 80 000 à l'extérieur. Le projet de réaménagement de Casablanca (avenue royale entre le Palais et la Mosquée) n'a finalement pas été mené à bien sous son règne. Mais les objectifs idéologiques et politiques de l'opération sont atteints et l'inauguration de la Mosquée tombe à point.

5. Les technocrates au pouvoir après l'échec d'une première alternance

1993 est une année où les événements se bousculent, bien que la scène politique soit finalement peu modifiée. Les électeurs ratifient largement la quatrième Constitution. À la rentrée, des élections générales ont lieu, qui installent pour quatre ans (l'échéance normale sera abrégée) la cinquième législature (1993-1997). Le roi reste très présent sur la scène internationale, comme l'atteste la réception qu'il organise pour Ytzhak Rabin le 15 septembre 1993. Sentant sa fin venir, Hassan II réfléchit à la pérennité du trône. Il encourage vivement l'USFP, son opposition trentenaire, à participer au gouvernement. A. Youssoufi et M. Boucetta réclament comme préalable le départ de D. Basri. Devant le refus du roi, l'USFP (et avec elle toute l'opposition) annonce le 5 octobre 1993 qu'elle ne participera pas au gouvernement, préservant ainsi sa vertu. A. Youssoufi s'exile à Cannes pour deux ans, pour protester contre la fraude électorale.

En novembre 1993, un gouvernement, dit de technocrates, entre en fonction. C'est le premier gouvernement Abdelatif Filali, père d'un gendre de Hassan II. L'arrivée au pouvoir de ce gouvernement intervient dans un triple contexte économique et politique. Le tout-puissant ministre de l'Intérieur D. Basri, symbole des « années de plomb », est devenu gênant pour le pouvoir. Or l'opposition socialiste de l'USFP vient de refuser l'alternance. Le roi met ainsi en avant des gens plus présentables que les anciennes équipes usées, ou entachées par une trop grande collaboration avec le système Basri. Ces nouveaux dirigeants doivent être compétents, car le pays doit maîtriser son destin. Le Plan d'ajustement structurel s'achève en 1993, et le Maroc doit assumer l'austérité et gérer la crise.

C'est pourquoi durant la législature 1993-1997 se succèdent trois gouvernements de technocrates, où émerge une génération de nouveaux venus repérés par le roi (le polytechnicien Driss Benhima occupe plusieurs postes ministériels, tout comme l'industriel Driss Jetou). Le premier gouvernement, en avril 1994, signe en grande pompe à Marrakech les accords du GATT et de l'Organisation mondiale du commerce (OMC).

Enfin, le juriste O. Azzimane, cofondateur de l'OMDH, gère les droits de l'homme. Face à ces hommes nouveaux sur lesquels il semble avoir moins de prise, D. Basri paraît sur la touche, bien que ses compétences demeurent tentaculaires. Mais la situation n'allait pas tarder à lui donner l'occasion de reprendre en main l'autorité perdue depuis 1990. Après des troubles islamistes dans les universités de Fès et Casablanca en janvier 1994, puis la crise berbériste qui éclate à l'occasion du 1er Mai, obligeant le roi à intervenir, le ministre de l'Intérieur profite d'un incident dramatique.

En août 1994, quatre commandos armés pénètrent simultanément au Maroc, avec diverses missions. Seul l'attentat de l'Hôtel Asni à Marrakech est mené à terme, tuant une touriste espagnole. Prétextant la présence de beurs franco-algériens dans les rangs des terroristes, le ministre de l'Intérieur enfourche le cheval de la répression. En quarante-huit heures, peut-être un million d'Algériens ou assimilés (beurs algériens de France, femmes de Marocains, Algériens du Maroc depuis toujours, touristes, et même quelques Marocains) sont expulsés dans la plus grande confusion. L'Algérie ferme ses frontières le 24 août, en réponse à l'instauration par le Maroc du visa pour les Algériens. Elles le restent jusqu'à nouvel ordre (au moins 2002).

En quelques heures, le Maroc a perdu un million de touristes frontaliers (qu'il n'a pas retrouvés jusqu'en 2002), sinistrant de manière durable l'Oriental. La ville frontière d'Oujda devient le cul-de-sac de l'Est marocain, et vit dans l'attente hypothétique de l'ouverture de la frontière (dont le président Bouteflika ne veut pas). La fermeture des mines de charbon et de fer dans cette région (Jerrada) au début du XXIe siècle achève de saigner à blanc une région qui se vide de ses habitants à grande vitesse.

Mais pour l'Intérieur, l'essentiel est atteint. D. Basri a montré qui est le patron du pays. Cela est confirmé par l'opération qu'il lance un an plus tard, « l'assainissement de l'économie marocaine ».

6. Austérité et crise économique

À leur arrivée au pouvoir, les technocrates, symbolisés par le G14 (groupe de réflexion de jeunes diplômés de haut niveau autour du roi), tentent de mettre de l'ordre dans un monde économique très opaque. Les privatisations qui ont commencé en 1992 sont suivies par une réforme de la Bourse des valeurs de Casablanca, institution vermoulue héritée du protectorat. Après vingt ans de gestion de l'économie et des collectivités locales par le ministre de l'Intérieur et par ses hommes (le beau-frère de D. Basri est préfet — *wali* — de Casablanca, et nombre de ses affidés dirigent entreprises publiques, provinces, préfectures et communes), le travail de remise en ordre est titanesque.

Prenant au mot les réformateurs téléguidés par les franges modernistes du Makhzen, D. Basri lance en 1995 une campagne d'assainissement économique. En quelques mois, elle jette des centaines de victimes et d'innocents en prison, qu'elle désigne à la vindicte populaire par voie de presse (Benabderrazik, 2002). L'affaire du docteur Benabderrazik, de Casablanca, symbolise des excès de cette *harka* moderne (sorte de razzia menée à la hussarde). Les conséquences économiques se révèlent vite catastrophiques. Dans une économie largement informelle et gangrenée par le blanchiment d'argent, la fuite devant l'impôt et la contrebande, la paralysie s'installe en quelques semaines. Les industriels comme les commerçants, habitués à payer leurs factures en espèces (quels que soient les montants), ne sortent plus leur argent de peur d'être jetés en prison.

Si bien qu'après quelques mois de paralysie le pouvoir est obligé de faire marche arrière. D. Basri a prouvé que l'économie marocaine était gangrenée, qu'une lutte contre les fraudes peut se retourner contre n'importe qui, et qu'en conséquence mieux vaut le *statu quo*.

Soumise en 1991 à la guerre du Golfe, en 1994 à la fermeture de la frontière et en 1995-1996 à la campagne d'assainissement, l'économie marocaine traverse une nouvelle phase difficile (récessions en 1992, 1994 et 1995), qui laisse au gouvernement des marges très étroites (moins de 2 % de croissance annuelle sur la décennie). Si le gouvernement parvient à stabiliser la situation macroéconomique, il n'évite pas l'appauvrissement pour le plus grand nombre (le Maroc passe de 3,4 à 5,3 millions de pauvres de 1990 à 1998). Mais l'inflation est vaincue, le déficit budgétaire réduit, la dette extérieure

stabilisée, les exigences des organisations internationales satis-
faites, gages de nouveaux financements.

7. La réforme constitutionnelle de 1996
     et l'accord avec l'opposition

Deux ans après le début de la législature entamée en 1993,
Hassan II est fragilisé par la maladie (automne 1995). Son désir
de faire revenir l'opposition au pouvoir se transforme en impé-
ratif. Sentant sa fin proche, il veut faire accepter à l'opposition
(essentiellement l'Istiqlâl et l'USFP) la prééminence du
Commandeur des croyants, institution réactivée depuis 1983
dans le cadre du contrôle des oulémas et des mosquées. À cette
fin, il tient bon sur ses prérogatives et impose à l'opposition
(notamment à l'uspéiste A. Youssoufi et à l'istiqlâlien M. Boucetta) le maintien de D. Basri au centre du pouvoir.

Cette volonté royale s'accompagne de quelques gestes de
bonne volonté. En 1995 est autorisé le retour du fqih Basri, après
trente ans d'exil, alors qu'il avait été l'un des opposants les plus
radicaux à la monarchie. Après avoir obtenu le serment
d'A. Youssoufi que la succession dynastique se passerait dans
les meilleures conditions, le roi engage le processus qui allait
conduire à l'alternance de 1998 (Layadi, Rerhaye, 1998).

Dans son discours au peuple du 20 août 1996, le roi annonce
une réforme constitutionnelle et des élections anticipées. Avec
le soutien des partis d'opposition (à l'exception de l'OADP de
M. Bensaïd) constitués depuis 1992 en seconde *Koutla* (dite
« bloc démocratique »), survient le 13 septembre suivant la première manche du processus de transition politique. La cinquième révision constitutionnelle est adoptée par référendum
(99,56 % de oui). L'Intérieur garde manifestement tout son
savoir-faire électoral, et le nouveau texte valide l'article 19, qui
affirme le caractère autocratique du régime dans le cadre de la
monarchie de droit divin. L'opposition en a cette fois avalisé le
principe.

La réforme mise en avant dans cette Constitution est l'instauration du bicaméralisme, avec l'élection de la totalité de la
Chambre des Représentants au suffrage universel direct (et non
plus les seuls deux tiers). En contrepartie est créée une seconde
Chambre parlementaire, dite des Conseillers. Élue au suffrage
indirect, elle constitue pour le Makhzen une garantie en cas

d'alternance mal maîtrisée, et pour les partis, la possibilité de sauver leurs élus s'ils venaient à perdre les législatives (l'élection des 270 membres de la Chambre des Conseillers le 5 décembre 1997, largement dominée par les anciens partis administratifs, confirme cette réalité).

Lorsque le 11 octobre 1996 le roi ouvre solennellement la session d'automne du Parlement, il annonce aux députés qu'il pèsera de tout son poids en faveur de la transparence des élections à venir.

8. Les élections de 1997 et l'alternance octroyée

D. Basri est chargé de trouver un terrain d'entente avec la *Koutla* en faveur d'un processus électoral démocratique. L'opération s'étale sur près d'un an, jusqu'à la consultation législative du 14 novembre 1997, qui élit le Parlement dit de « l'alternance consensuelle » (la sixième législature, 1998-2002).

Le 28 novembre 1996, le ministre de l'Intérieur propose d'assainir les listes électorales, qui sont depuis des décennies l'objet d'un conflit entre l'opposition et le pouvoir. Les ordinateurs de l'Intérieur doivent unifier le système à l'échelle nationale, sur le principe 1 électeur / 1 voix. Trois mois plus tard, le 28 février 1997, une charte d'honneur est signée entre les pouvoirs publics et les partis politiques. Le pouvoir s'engage à organiser des élections transparentes et honnêtes, et, en contrepartie, les partis reconnaîtront les résultats des élections. Dans la foulée, le 27 mars, un code électoral (le premier du genre) est adopté à l'unanimité au Parlement.

Les partis politiques, parmi lesquels d'irréductibles ennemis historiques du régime, travaillent désormais aux côtés de D. Basri, l'homme hier voué aux gémonies. En mai 1997, la Commission nationale de suivi des élections tient sa première réunion au Conseil consultatif des droits de l'homme (CCDH). Commence alors le processus électoral, inauguré le 13 juin 1997 par les élections communales. Malgré les promesses, l'élection des présidents de communes donne lieu à une corruption intense, confirmée lors des élections professionnelles de juillet (en octobre, l'élection des conseils régionaux par les grands électeurs favorise les sans-appartenance politique). La fraude a été si manifeste que le roi dénonce, le 20 août, l'utilisation intense de l'argent dans les élections. Et il demande aux partis politiques de présenter des programmes « réalistes et réalisables ».

Après une courte campagne électorale, 13 millions d'électeurs sont appelés à se rendre aux urnes. Les 325 circonscriptions ont été savamment découpées en septembre par l'Intérieur (sans être avalisées par la *Koutla*). Le scrutin est uninominal à un tour.

La première nouveauté des élections tient au fait que les 16 partis présents sont regroupés en coalitions électorales. La *Koutla* est opposée au *Wifak* (l'alliance), coalition d'anciens partis administratifs (dont l'Union constitutionnelle). Mais le pouvoir a pris soin de susciter un centre, constitué autour du MNP (Mouvement national populaire) et du RNI d'A. Osman, destiné à servir de garde-fou au futur gouvernement d'alternance dûment prévu. Avant les élections circulent déjà des rumeurs sur la composition du futur Parlement en trois tiers. Elles deviennent réalité le 14 novembre au soir.

La seconde nouveauté est que l'intervention de l'administration dans les élections est assez discrète, hormis le découpage électoral antérieur. En revanche, de nombreux candidats et partis vont eux-mêmes user de divers moyens pour trafiquer les résultats. Au lendemain des élections, une partie de la presse dénonce des fraudes et une corruption massives. Deux députés, dont le jeune dirigeant de la jeunesse de l'USFP, Mohammed Hafid, à Casablanca, démissionnent de leur poste, dénonçant leur victoire indue. M. Hafid renonce, dans un geste inédit, à un salaire de 3 000 euros (19 fois le salaire minimum à l'époque), prétextant que c'est le candidat islamiste qui est arrivé en tête. En réalité, l'abstention et les votes nuls ont été très importants, et la population n'a jamais cru en la validité du scrutin. Néanmoins, les islamistes du PJD font une entrée contrôlée au Parlement (une petite quinzaine de députés).

Après trois mois d'intenses tractations, A. el Youssoufi est nommé le 4 février 1998, à soixante-quatorze ans, Premier ministre du gouvernement d'alternance.

9. Un gouvernement impossible ?

Malgré les vicissitudes du processus électoral, l'USFP, arrivée en tête de la *Koutla* aux législatives, accepte, en la personne de son premier secrétaire, la mission à laquelle l'appelle le

Abderrahmane el Youssoufi

Né le 20 mars 1924 à Tanger, A. el Youssoufi est un militant historique du nationalisme marocain. Adhérant au parti de l'Istiqlâl dès 1944, il est lié à M. Ben Barka, de quatre ans son aîné, dont il resta toujours un proche. Il séjourne de 1949 à 1952 en France, où il obtient un DES (diplôme d'enseignement supérieur) de droit et de sciences politiques. Il rentre à Tanger comme avocat et poursuit son activité politique à l'aile gauche du parti.

En 1959, il participe à la création de l'Union nationale des forces populaires (UNFP), dont il préside le congrès constitutif. Aux côtés de Ben Barka, il devient un des principaux opposants au régime. Arrêté en 1959 puis relâché, il est condamné en 1963 à une forte peine par contumace. Après l'assassinat de Ben Barka en 1965, il entame quinze années d'exil et reste en contact avec les activistes qui complotent contre le régime. Gracié, il rentre au Maroc en 1980.

Membre du bureau politique de l'Union socialiste des forces populaires (créée en 1975), il est numéro deux du parti en 1991. À la mort d'A. Bouabid en 1992, il devient jusqu'en 2002 premier secrétaire du parti. Il cumule en même temps la fonction de directeur du quotidien arabophone du parti, *El Ittihad el Ichtiraki* (L'Union socialiste). Après deux ans d'exil volontaire à Cannes en 1993-1995, pour dénoncer le truquage électoral des législatives de 1993, il revient au Maroc. Il est alors l'artisan de la réintégration de l'USFP dans le jeu politique.

Après des élections arrangées, l'USFP se voit proposer en sa personne l'accession à la primature, le 4 février 1998. Il accepte de diriger avec D. Basri un gouvernement de coalition, dit d'alternance, qui assure la transition à la mort de Hassan II en juillet 1999. Accusé de compromission, d'immobilisme et de mutisme par l'opposition, il préside un nouveau gouvernement allégé à partir de l'automne 2000. Le VIᵉ congrès de l'USFP, en mars 2001, a présidé à l'éclatement d'un parti à bout de souffle qui doit préparer les législatives de septembre 2002.

roi. Le cadre tracé par le Palais est draconien. Outre la présence imposée de D. Basri à l'Intérieur, le chef du gouvernement doit accepter plusieurs ministres dits de « souveraineté », désignés directement par le roi. Ainsi lui échappent les Affaires étrangères (A. Filali), les Affaires religieuses (Abdelkébir M'Daghri Alaoui) et la Justice (O. Azzimane). En outre, la Défense a un ministre délégué nommé par le Palais.

Par ailleurs, A. Youssoufi doit gérer le mécontentement de l'Istiqlâl, qui estime avoir été dépossédé de sa victoire électorale et est humilié d'être arrivé en cinquième position, derrière l'USFP. Mais il doit aussi tenir compte de la présence encombrante du RNI d'A. Osman, sans lequel il ne peut y avoir de majorité parlementaire. Au total, le gouvernement représente sept partis, composant une coalition hétéroclite qui reflète l'éclatement du Parlement. Le PJD islamiste soutient le gouvernement (jusqu'en 2000) sans participer. L'OADP, membre de la *Koutla*, refuse aussi de participer à cause des fraudes électorales. Les sept partis représentés sont les trois autres partenaires de la *Koutla* (USFP, PPS et Istiqlâl), le RNI et le MNP, et deux petites formations nées de scissions du PPS et de l'OADP fomentées par l'Intérieur (Front des forces démocratiques, Parti socialiste démocratique).

Malgré ces obstacles, A. Youssoufi impose, contre l'avis d'une partie de ses proches, la participation de l'USFP à la tête du gouvernement (le parti compte la primature et 13 ministres sur 40). Pour un homme de sa génération, il s'agit d'une revanche sur l'histoire que l'on ne peut désormais plus différer (Vermeren, 2002). D'autre part, la libéralisation du régime, tant sur le front des droits de l'homme que sur celui de la liberté d'expression, est incontestable. L'opposition ne peut l'ignorer. Enfin, dans la mesure où elle a renoncé à l'option révolutionnaire et reconnu la prééminence du souverain, l'USFP n'a pas d'autre choix, estime A. Youssoufi, que de s'engager dans le processus démocratique, fût-il imparfait. Enfin, il s'agit, pour elle, de participer à la direction de l'État lorsque sonnera l'heure de la succession dynastique.

Le gouvernement est officiellement constitué le 14 mars 1998. Derrière la vieille garde de l'USFP (A. Youssoufi, M. el Yazghi et bientôt A. Radi à la tête du Parlement) émerge la génération des années soixante, durablement écartée des postes de responsabilité politique depuis la répression des années soixante-dix. Les anciens présidents ou ténors de l'UNEM (F. Oualalou, H. el Malki, Khalid Alioua…) occupent des fonctions clés au gouvernement, notamment dans les secteurs économiques et sociaux en crise.

L'alternance s'engage dans l'enthousiasme de larges pans de la société. Le roi, de plus en plus affaibli, laisse le champ libre à son omniprésent ministre de l'Intérieur. Rapidement, le gouvernement souffre d'un défaut de communication politique et médiatique, et il accuse D. Basri d'être la cause des blocages. La presse commence à s'émanciper, et constitue peu à peu un véritable contre-pouvoir, notamment autour de l'équipe du *Journal*. Dans l'hiver 1998-1999, la sécheresse s'installe sur le pays, créant une situation d'attente, largement relayée chez les détenteurs de capitaux qui cessent d'investir à l'approche du décès royal.

Le 14 juillet 1999, Hassan II rassemble ses dernières forces pour assister au défilé du 14 Juillet à Paris, honneur inédit fait par la République française à son allié presque quarantenaire. À quelques jours près, la Mission des Nations unies au Sahara occidental (Minurso) rend publique la liste qu'elle a établie pour le référendum au Sahara, toujours reporté. Cette grande cause, qui a engagé le second règne de Hassan II, n'est toujours pas réglée lorsque celui-ci disparaît, terrassé par la maladie, le 23 juillet 1999, à l'hôpital Avicenne de Rabat.

Conclusion : le Maroc en transition de Mohammed VI

1. Une forte rupture symbolique et politique

Le 23 juillet 1999, les Marocains, dont les trois quarts ont vécu sous le seul règne de Hassan II, sont saisis par le deuil et la peur. Mais cette peur de l'inconnu cède vite le pas à l'enthousiasme devant la jeunesse du nouveau souverain. L'accession au trône du fils aîné de Hassan II, le « jeune roi » Mohammed VI, (intronisé le 30 juillet) est ressentie avec joie après ce long règne de trente-huit années. L'intronisation du « roi des pauvres » sonne comme l'avènement d'une nouvelle ère (Vermeren, 2001). À la distance du vieux monarque, les Marocains opposent vite la proximité du nouveau roi. Mais par-delà quelques gestes symboliques et le coup de jeune donné à l'institution monarchique, ils apprécient d'abord la volonté de solder la part d'ombre de l'encombrant héritage paternel.

Dès le mois d'août 1999, le roi annonce la création d'une commission royale d'indemnisation des anciens prisonniers politiques (qui allait indemniser plus de 420 personnes en cinq ans, pour 5 000 demandes). Le 13 septembre 1999, il permet le retour d'exil d'A. Serfaty, accueilli par le Premier ministre et les conseillers du roi. En octobre, le roi effectue une longue tournée remarquée dans les provinces du Nord, notamment dans le Rif, ignoré depuis 1959 par son père. Enfin, le 9 novembre, Mohammed VI révoque l'homme le plus craint et le plus honni de l'ancien régime, ministre de l'Intérieur depuis vingt ans, D. Basri. Telles sont les grandes étapes de ce printemps marocain qui allait souffler jusque durant l'année 2000.

S'il ne fait guère de doute que la société marocaine se sent plus en phase avec le nouveau souverain, davantage roi que sultan, les difficultés du quotidien, l'impasse économique et sociale ainsi que les incertitudes politiques se réinstallent peu à peu courant 2000. Si les Marocains savent montrer leur attachement à leur souverain (de sa nouvelle tournée provinciale à l'automne 2001 à son mariage au printemps 2002), ils ont renoué avec les angoisses et les frustrations qui les assaillent. Début 2002, les hebdomadaires casablancais évoquent la « transition grippée » en 2001 (*Le Journal*), puis en viennent à s'interroger sur la réalité même du processus de « transition » (*Tel quel*).

2. Une société désemparée sur fond de crise économique

La transition marocaine a constitué une phase historique de respiration dont témoigne l'extraordinaire vitalité de la presse. Elle n'en a pas moins ouvert la boîte de Pandore. Suscitant un vertige démocratique, elle a brusquement fait remonter à la surface plusieurs décennies d'une histoire occultée aussi mal connue que cicatrisée (Stora, *Esprit*, 2000). Le succès inégalé au Maroc (plus de 25 000 exemplaires) de *Tazmamart, Cellule 10*, le récit-témoignage d'A. Merzouki publié en 2000, montre l'ampleur du chemin parcouru par la société marocaine. Le putschiste de Skhirat, dont l'évocation du seul nom aurait pu vous faire disparaître dans les années quatre-vingt, est devenu un personnage reconnu par la société civile marocaine. « Le Maroc ne peut pas se permettre deux Mai 68 par semaine », a fini par souligner le Premier ministre.

Par-delà le déferlement d'histoire orchestré par la presse, de larges franges de la société marocaine se sont mises à rattraper les années perdues. Le 28 janvier 2000, le cheikh A. Yassine, *zaïm* des islamistes marocains, demande dans sa lettre au roi (*À qui de droit ?*) de liquider le patrimoine de son père au profit du peuple. Le 1er mars 2000, Mohammed Chafik lance le *Manifeste berbère* qui dynamite l'histoire arabo-musulmane officielle du royaume. Le 12 mars 2000, les défenseurs du droit des femmes sortent dans la rue à Rabat pour réclamer une réforme de la *mudawana*, tandis que des milliers d'islamistes déferlent dans Casablanca pour préserver une supposée orthodoxie. Ces mêmes islamistes descendent à nouveau en masse dans les rues de Rabat en octobre pour dénoncer la « judaïsation d'*Al Qods* » (Jérusalem). Quant aux militants des droits de l'homme, ils organisent le 6 octobre un pèlerinage à Tazmamart, puis établissent en décembre une première liste des tortionnaires de l'ancien régime, au nombre desquels quelques officiers supérieurs encore en poste.

Une partie de la presse relaye cette ébullition, tout en contribuant à la nourrir. En novembre 2000, *Le Journal* révèle ainsi que les leaders de la gauche socialiste au pouvoir ont été impliqués dans le coup d'État d'Oufkir contre Hassan II, l'homme que le Premier ministre a justement choisi de servir en accédant à la primature.

À partir de la fin de l'année 2000 a lieu une reprise en main qui frappe tous ces acteurs. En décembre, les trois journaux les plus contestataires (*Le Journal*, *Essahifa* et *Demain*) sont provisoirement suspendus. Des militants islamistes et des militants des droits de l'homme sont emprisonnés, condamnés mais finalement acquittés. La réforme de la *mudawana* est suspendue, tandis que les Berbères se voient interdits (en juin 2001) de parti politique. Au passage, les diplômés-chômeurs, qui tiennent un *sit-in* permanent devant le Parlement de Rabat, sont à plusieurs reprises matraqués.

Car, derrière les revendications politiques, la société reste tenaillée par les difficultés économiques. De 1999 à 2001, le Maroc est touché par une sécheresse structurelle qui pèse sur la confiance et la croissance. L'attente de la population s'est réinstallée à l'automne 2000 après que soit retombé l'effet de l'annonce prématurée de découverte pétrolière dans l'été. Le Maroc est au bord de la récession de 1998 à 2000, sortant de la morosité économique en 2001 grâce aux revenus extérieurs (transferts des travailleurs immigrés, IDE et tourisme).

3. Les législatives de septembre 2002, une tentative de normalisation ?

Dans ce contexte, le plus frappant est la relative inertie du gouvernement, ainsi que sa difficulté à communiquer. Alors que les députés sortent en janvier 2001 un rapport explosif sur un grand scandale financier de l'ancien régime (celui du Crédit immobilier et hôtelier), le gouvernement ne donne pas suite. Même s'il procède à des réformes (ouverture douanière vers l'UE), engage certaines politiques de fond (scolarisation en primaire), le gouvernement semble incapable de s'attaquer à la réforme de la justice (il est vrai ministère de souveraineté), et de relancer l'économie et l'investissement. À tel point que, dans l'été 2001, le Palais procède à la nomination de super-préfets (*walis*) dans les grandes villes, technocrates chargés d'impulser l'investissement. Et le ministère de l'Intérieur (aux mains du Palais) est confié à l'industriel Driss Jetou.

Une nouvelle presse au service du Palais est créée pour accompagner l'activité du roi et de sa garde de technocrates (*Aujourd'hui le Maroc*). Le roi ne s'exprime guère, mais semble cautionner cette dichotomie entre un néo-Makhzen envahissant dans une sphère économique en déshérence, et un gouvernement paralysé qui tente de gérer la sphère de la politique partisane. En mars 2001, le VIᵉ congrès de l'USFP a mis à jour un parti miné par l'exercice sous contrainte du pouvoir réel. La scission, inévitable, entre la vieille garde qui négocia l'alternance et les courants populistes et « révolutionnaires » qui se revendiquent de Ben Barka, eut lieu, laissant un parti exsangue.

Mais derrière l'USFP, toute la scène politique semble à bout de souffle. L'alliance entre l'USFP et l'Istiqlâl se résume désormais à un cartel électoral qui risque d'imploser. Les anciens partis administratifs ont été incapables de se transformer en une opposition crédible, même si le MNP et le RNI ont sauvé l'essentiel. Le personnel politique est décrédibilisé, et les Marocains disent se désintéresser à plus de 85 % de la vie politique nationale (sondage de l'association Maroc 2020), d'autant qu'à l'approche des élections sont révélés de nouveaux scandales financiers. La décomposition partisane s'est accélérée en 2001-2002 (près de 35 partis), qui rend la carte politique indéchiffrable et le Parlement issu des législatives de septembre 2002 très éclaté. D'autant plus que, dans un apparent sursaut démocratique, le Premier ministre s'est engagé à mettre sur pied un scrutin proportionnel de listes pour enrayer la corruption électorale et l'achat des voix (pour les cadres moyens des partis, c'est un moyen de faire élire les chefs de ces partis).

Enfin, derrière cette situation, c'est tout le pouvoir qui est atteint. Au printemps 2001, une partie de la presse officieuse a commencé à critiquer le Makhzen. *Maroc hebdo international*, journal créé par D. Basri, dénonce durant l'été la « tentation technocratique ». En septembre, un grand malaise parcourt une opinion surchauffée par les attentats aux États-Unis et la politique du Premier ministre israélien Ariel Sharon, lorsque le Palais invite les différentes confessions à prier dans la cathédrale catholique de Rabat (16 septembre). Ce malaise rappelle aussi que les sirènes de l'islamisme sont loin d'être neutralisées, quelle que soit la manipulation de la carte électorale. Durant le printemps 2002, une mouvance islamiste radicale, dite *jihadiste* (de combattants radicaux de l'islam), est mise à jour, à l'occasion de plusieurs arrestations par les forces de sécurité (à Casablanca et Fès). L'affaire est amplifiée en juin lorsqu'une campagne est orchestrée autour de l'arrestation de trois Saoudiens supposés membres d'Al Qaïda.

Fin 2001-début 2002, la parution en France des ouvrages de J.-P. Tuquoi et A. Boukhari, qui circulent rapidement au Maroc, pousse les Marocains à s'interroger sur la nature et l'avenir du régime. Le désarroi est sensible dans les rouages de l'État (polémique autour du cousin du roi Moulay Hicham), alors que jamais l'expression n'a été aussi libre, à peine entravée par quelques saisies de journaux. Les hebdomadaires *Tel Quel* et *Demain magazine* peuvent dénoncer « la servilité des Marocains » et dépasser allégrement les « lignes rouges » (Dieu, la Patrie, le Roi). Mais la liberté d'expression est fragile face à une administration intacte. Enfin, si l'issue des élections de septembre 2002 semblait neutralisée à l'avance autour du noyau dur de l'Istiqlâl, cela ne remet pas en cause le très fort désir de justice et de liberté qui a saisi en trois années la société marocaine.

Bibliographie

AOUAD-BADOUAL Rita et TAMER Bachir, *Le Maroc de 1912 à nos jours*, Service de Coopération Culturelle de l'Ambassade de France au Maroc, Rabat, 2000.

ARAB Mustapha, *Le Rif entre le Palais, l'Armée de libération et le parti de l'Istiqlâl*, Imprimerie Fadala, Mohammedia, 2001 (en arabe).

AYACHE Albert, *Le Maroc. Bilan d'une colonisation*, Éditions sociales, Paris, 1956.

AYACHE Albert, *Le Mouvement syndical au Maroc. Vers l'indépendance (1949-1956)*, tome III, L'Harmattan, Paris, 1993.

AYACHE Albert (direction), *Dictionnaire biographique du mouvement ouvrier Maghreb*, EDDIF, Casablanca, 1998.

BAIDA Jamaâ, *La Presse marocaine d'expression française, des origines à 1956*, Imprimerie Najah el Jadida, Casablanca, 1996.

BEN BARKA Mehdi, *Option révolutionnaire au Maroc. Écrits politiques*, Maspero, Paris, 1966.

BENSIMON Agnès, *Hassan II et les Juifs. Histoire d'une émigration secrète*, Seuil, Paris, 1991.

BEKKAI LAHBIL Achour, *Si Bekkaï, Rendez-vous avec l'histoire*, imprimerie Mithaq-Almaghrib, Rabat, 1999.

BELAL Aziz, *L'Investissement au Maroc (1912-1964)*, Les Éditions maghrébines, Casablanca, 1980 (réédition).

BELOUCHI Belkassem, *Portraits d'hommes politiques du Maroc*, Afrique-Orient, Casablanca, 2002.

BEN MLIH Abdallah, *Structures politiques du Maroc colonial*, L'Harmattan, Paris, 1990.

BENABDERRAZIK Nadia, *L'Affaire Benadbderrazik*, Tarek éditions, Casablanca, 2002.

BENHADDOU Ali, *Maroc : les élites du royaume*, L'Harmattan, Paris, 1997.

BENNOUNA Mehdi, « Héros sans gloire. Échec d'une révolution (1963-1973) », Tarik Éditions, coll. « Témoignages », Casablanca, juin 2002.

BOUAZIZ Mustapha, *Aux origines de la Koutla démocratique*, Publications de la Faculté des lettres et des sciences humaines de Casablanca, Série thèses et mémoires, 1997.

BOUDERBALA Najib, « Les terres collectives du Maroc dans la première période du protectorat », in *REMMM*, n° 79-80, 1996/1-2.

BOUKHARI Ahmed, *Le Secret, Ben Barka et le Maroc, un agent des services spéciaux parle*, Michel Lafon, Paris, 2002.

BOUTALEB Abdelhadi, « Un demi-siècle dans les arcanes de la politique », Éditions Az-Zaman, Rabat, mai 2002.

BRIGNON Jean (collectif), *Histoire du Maroc*, Hatier, Paris, 1967.

COLLECTIF, *Penseurs maghrébins contemporains*, Éditions EDDIF, Casablanca, 1997 (réédition).

CUBERTAFOND Bernard, *Le Système politique marocain*, L'Harmattan, Paris, 1997.

CUBERTAFOND Bernard, *La Vie politique marocaine*, L'Harmattan, Paris, 2001.

DALLE Ignace, *Le Règne de Hassan II (1961-1999), Une espérance brisée*, Maisonneuve & Larose, Paris, 2001.

DAOUD Zakya, MONJIB Maâti, *Ben Barka*, Éditions Michalon, Paris, 1996.

DAURE-SERFATY Christine, *Rencontres avec le Maroc*, La Découverte / Essais, Paris, 1993.

DAURE-SERFATY Christine, *Lettre du Maroc*, Stock Éditions, Paris, 2000.

DOUMOU Abdelali, *État et capitalisme au Maroc*, Edino, Rabat, 1983.

EL MALKI Habib, *Trente ans d'économie marocaine (1960-1990)*, CNRS, coll. « Chroniques de l'Afrique du Nord », 1989.

EL MERINI Abdelhak, *L'Armée marocaine à travers l'histoire*, Dar el Nachar el Maârifa, Rabat, 2000.

GALLISSOT René, *L'Économie de l'Afrique du Nord*, PUF, « Que sais-je ? », Paris, 1964.

GALLISSOT René, *Maghreb, Algérie, classes et nation*, Arcantère, Paris, 1987 (2 tomes).

GALLISSOT René, *Le Maghreb de traverse*, Éditions Bouchene, Paris, 2000.

GALLISSOT René et KERGOAT Jacques (sous la direction), *Mehdi Ben Barka, De l'indépendance marocaine à la Tricontinentale*, Karthala-Institut Maghreb-Europe, Paris, 1997.

GANIAGE Jean, *Histoire contemporaine du Maghreb de 1830 à nos jours*, Fayard, Paris, 1994.

GAUDIO A., *Allal el Fassi ou l'histoire de l'Istiqlâl*, Préface de J. Berque, Éd. Alain Moreau, Paris, 1972.

HAMMOUDI Abdellah, *Maîtres et disciples, Genèse et fondement des pouvoirs autoritaires dans les sociétés arabes. Essai d'anthropologie politique*, Maisonneuve & Larose, Paris, 2001.

HASSAN II, *Le Défi*, Albin Michel, Paris, 1976.

HASSAN II, *La Mémoire d'un roi* (entretien avec Éric Laurent), Plon, Paris, 1993.

JULIEN Charles-André, *Le Maroc face aux impérialismes, 1415-1956*, Jeune-Afrique Éditions, Paris, 1978.

KENBIB Mohamed, *Les Protégés*, Publications de la Faculté des lettres et des sciences humaines, Rabat, 1996.

LAFUENTE Gilles, *La Politique berbère de la France et le nationalisme marocain*, L'Harmattan, Paris, 1999.

LAROUI Abdallah, *Les Origines sociales et culturelles du nationalisme marocain (1830-1912)*, Maspero, Paris, 1977.

LAYADI Fatiha, RERHAYE Narjis, *Maroc, Chronique d'une démocratie en devenir*, Eddif, Casablanca, 1998.

LE TOURNEAU Roger, *Fès avant le protectorat*, Éditions La Porte, Rabat, 1987 (réédition).

LEVEAU Rémi, *Le Fellah marocain, défenseur du Trône*, FNSP, Paris, 1976.

LOPEZ GARCIA Barnabé, *Marruecos en trance. Nuevo Rey, nuevo siglo, nuevo Régimen ?*, Biblioteca exterior, Madrid, 2000.

LUGAN Bernard, *Histoire du Maroc : des origines à nos jours*, Perrin, Paris, 2000.

MAANINOU Ahmed et MOUMNI TEBKANI Mehdi, *Dar Berricha ou l'histoire de disparitions*, Najah el Jadida, Casablanca, 1987.

MARZOUKI Ahmed, *Tazmamart, Cellule 10*, Paris-Méditerranée, Paris, 2000.

M'BAREK Zaki, *Résistance et armée de libération, Portée politique, liquidation, 1953-1958*, Tanger, 1987.

MESSAOUDI Amina, *Les Ministres dans le système politique marocain*

(1955-1992), En Najah el Jadida, Casablanca, 2001 (en arabe).

MDIDECH Jaouad, *La Chambre noire ou Derb Moulay Chérif*, EDDIF, Casablanca, 2000.

MIÈGE Jean-Louis, *Le Maroc*, PUF, « Que sais-je ? », Paris, 2001 (réédition).

MOHSEN-FINAN Khadija, *Sahara occidental, les enjeux d'un conflit régional*, CNRS histoire, Paris, 1997.

MONJIB Maâti, *La Monarchie marocaine et la lutte pour le pouvoir*, L'Harmattan, Paris, 1992.

OUARDIGHI Abderrahim, *Ahmed Reda Guedira (1920-1995)*, Arabian el Hilal, Rabat, 1996.

OUARDIGHI Abderrahim, *Ali Yata (1920-1997)*, Rabat, 2000.

OUFKIR Fatima, *Dans les jardins du roi*, Lafon, Paris, 2000.

OUFKIR Malika et FITOUSSI Michèle, *La Prisonnière*, Grasset, Paris, 1999.

OVED Georges, *La Gauche française et le nationalisme marocain, 1905-1955*, L'Harmattan, Paris, 1984 (2 tomes).

PALAZZOLI C., *Le Maroc politique de l'indépendance à 1973*, Sindbad, Paris, 1974.

PERRAULT Gilles, *Notre ami le roi*, Gallimard, Paris, 1990.

RIVET Daniel, *Lyautey et l'institution du Protectorat français au Maroc 1912-1925*, L'Harmattan, Paris, 1988 (3 tomes).

RIVET Daniel, *Le Maroc de Lyautey à Mohammed V, le double visage du Protectorat*, Éditions Denoël, Paris, 1999.

RIVET Daniel, *Le Maghreb à l'épreuve de la colonisation*, Hachette Littératures, Paris, 2002.

SANTUCCI Jean-Claude, *Chroniques politiques marocaines (1971-1982)*, Éditions du CNRS, Paris, 1985.

SERFATY Abraham, ELBAZ Mikhaël, *L'Insoumis. Juifs, Marocains et rebelles*, Desclée de Brouwer, Paris, 2001.

SMITH Stephen, *Oufkir, un destin marocain*, Hachette Littératures, coll. « Pluriel », Paris, 2002 (réédition avec postface).

STORA Benjamin et AKRAM Ellyas, *Les 100 portes du Maghreb*, Les Éditions de l'atelier / Éditions ouvrières, Paris, 1999.

STORA Benjamin, « Maroc, le traitement des histoires proches », in *Esprit*, été 2000.

TOZY Mohamed, *Monarchie et islam politique au Maroc*, Presses de Sciences Po, Paris, 1999.

TUQUOI Jean-Pierre, *Le Dernier Roi, crépuscule d'une dynastie*, Grasset, Paris, 2002.

VERMEREN Pierre, *Le Maroc en transition*, La Découverte, Paris, 2001 (poche « La Découverte », 2002).

VERMEREN Pierre, *La Formation des élites au Maroc et en Tunisie. Des nationalistes aux islamistes, 1920-2000*, La Découverte, coll. « Recherches », Paris, 2002. Coédition au Maroc, *École, élite et pouvoir. Maroc et Tunisie au XXᵉ siècle*, Alizés, Rabat, 2002.

WATERBURY John, *Le Commandeur des croyants, la monarchie marocaine et son élite*, PUF, Paris, 1975.

ZAFRANI Haïm, *Deux mille ans de vie juive au Maroc*, Eddif — Maisonneuve & Larose, Casablanca-Paris, 1998.

Chronologie du Maroc contemporain
(1912-2002)

30 mars 1912. Traité de Fès, Protectorat franco-espagnol. Sultanat en zone Sud. Khalifat dans le Rif.

1912-1925. Hubert Lyautey résident général au Maroc.

1921-1926. Guerre du Rif.

1927. Intronisation du sultan Moulay Youssef.

1930. Dahir berbère. Début activité nationaliste au Maroc.

1933. Célébration de la première Fête du Trône par les nationalistes.

1934. Fin de la conquête militaire. Naissance du premier parti politique marocain, le CAM (Comité d'action marocaine). Plan de réformes.

1937. Répression de l'activité nationaliste par le résident Noguès.

Nov. 1942. Débarquement américain au Maghreb.

11 janv. 1944. Manifeste de l'Istiqlâl (indépendance).

10 avril 1947. Discours du sultan à Tanger pour l'indépendance du pays.

Déc. 1952-1953. Émeutes de Casablanca. Répression activité nationaliste et interdiction des partis politiques marocains.

20 août 1953. Déposition et exil du sultan. Début résistance urbaine.

1954. Sortie du roman *Le Passé simple*, de Driss Chraïbi.

20 mars 1955. Création de l'Union marocaine du Travail (UMT).

Été 1955. Entrée en action de l'Armée de libération marocaine (ALM).

Août 1955. Conférence d'Aix-les-Bains entre autorités françaises et représentants du Maroc.

16 nov. 1955. Retour d'exil du sultan.

déc. 1955. Premier gouvernement Bekkaï.

2 mars 1956. Indépendance du Maroc. Abolition traité de Fès.

7 avril 1956. Le Maroc récupère la zone Nord sous protectorat espagnol.

Mai 1956. Constitution des Forces armées royales (FAR).

Juin 1956. Assassinat d'Abbas Messaadi.

Juill. 1956. Intégration ALM dans les FAR.

Août 1956. Création Conseil national consultatif (présidé par Ben Barka).

Oct. 1956. Réintégration de Tanger au Maroc.
Second gouvernement Bekkaï (sortie du PDI).

Janvier 1957. Révolte du gouverneur Addi Ou Bihi dans le Tafilalet.

9 juillet 1957. Moulay Hassan intronisé prince héritier.

Août 1957. Le sultan Mohammed V prend le titre de roi.

Été 1957. Route de l'Unité (Taounate-Ketama).

Nov. 1957. Opérations de l'ALM au Sahara.

Février 1958. Opération franco-espagnole Écouvillon au Sahara.

8 avril 1958. Le roi proclame les étapes de la démocratisation.

Avril 1958. Récupération de la bande de Tarfaya à l'Espagne.

Mai 1958. Gouvernement Istiqlâl A. Balafrej (gouvernement homogène).

Mai-nov.1958. Première répression dans le Rif.

Oct. 1958. Le Maroc entre à la Ligue arabe.

Nov. 1958. Mauritanie État autonome. Code des libertés publiques (dont code de la presse).

Déc. 1958. Gouvernement Abdallah Ibrahim.
Retrait de la zone franc.

Janvier 1959. Création Université Mohammed V.
Deuxième répression dans le Rif.

25 janv. 1959. Scission de l'Istiqlâl et naissance de l'UNFP.

Fév. 1959. Légalisation du Mouvement populaire de Mahjoubi Aherdane.

9 avril 1959. Début timide de la marocanisation des terres.

15 déc. 1959. Premier complot USFP (arrestation M. Basri et A. Youssoufi).

1960-1964. Premier plan quinquennal.

9 février 1960. Dissolution du parti communiste (PCM).

29 fév. 1960. Tremblement de terre d'Agadir.

20 mars 1960. Naissance de l'UGTM (syndicat de l'Istiqlâl).

20 mai 1960. Renvoi du gouvernement Ibrahim.

27 mai 1960. Le roi préside le gouvernement. Moulay Hassan vice-président.

29 mai 1960. Premières élections du Maroc indépendant (conseils communaux). Istiqlâl et UNFP recueillent 63 % des voix.

Juin 1960. Création des communes urbaines et rurales.

Été 1960. Laghzaoui quitte la Sûreté nationale. Oufkir le remplace et crée le Cab 1 (services spéciaux) avec l'aide de la CIA.

14 oct. 1960. Indépendance de la Mauritanie. Crise Maroc-Tunisie.

3-7 janv. 1961. Conférence des pays africains « progressistes » à Casablanca.

26 fév. 1961. Décès de Mohammed V. A. Réda Guédira, directeur général du Cabinet royal.

3 mars 1961. Intronisation officielle de Hassan II (Fête du Trône).

Juin 1961. Lancement de la Promotion nationale.

Juil. 1961. Entretiens Hassan II — Ferhat Abbas (président du GPRA) à Rabat.

Mai 1962. Deuxième congrès UNFP. Présentation du rapport de M. Ben Barka, *L'Option Révolutionnaire*, non adopté au bénéfice du rapport d'A. Ibrahim.

7 déc. 1962. Adoption de la première Constitution par référendum.

27 janv. 1963. Démission ministres de l'Istiqlâl. Le *hizb* passe à l'opposition.

20 mars 1963. Création du FDIC d'A. Réda Guédira.

17 mai 1963. Élections législatives et autres jusqu'en octobre.
Première législature (1963-1965).

29 juillet 1963. Complot de 1963. Arrestation 5 000 militants UNFP et PCM.

21 août 1963. Naissance prince héritier Sidi Mohammed (futur Mohammed VI).

Sept. 1963. Récupération des terres de la colonisation officielle.

Oct. 1963. Guerre des frontières avec l'Algérie.

Nov. 1963. Gouvernement Ahmed Bahnini. A.R. Guédira aux AE.

Hiver 1963. Procès du complot de juillet 1963 (premiers procès politiques).

7 août 1964. Mort de Cheikh el Arab à Casablanca.

Sept. 1964. Session extraordinaire du Parlement. Débats suspendus jusqu'en novembre.

22-25 mars 1965. Insurrection de Casablanca.
Répression meurtrière.

Avril 1965. Le roi gracie les condamnés du complot de 1963. Tentative d'union politique nationale.

7 juin 1965. État d'exception — art. 35 Constitution — (jusqu'en juillet 1970).

Gouvernement présidé par le roi. Pleins pouvoirs.

29 oct. 1965. Enlèvement de M. Ben Barka devant brasserie Lipp à Paris.

5-11 juin 1967. Guerre des Six Jours au Proche-Orient.

Nov. 1967. Première association culturelle amazigh (Rabat).

1968. Fondation de *23 mars* par la gauche étudiante de l'UNFP.

Janv. 1969. Traité de solidarité et de coopération avec l'Algérie.

30 juin 1969. Récupération du territoire d'Ifni à l'Espagne.

1969. Accord d'association avec la CEE.

XIIIe congrès de l'UNEM, divorce entre gauchistes et directions des partis.

11 mars 1970. Clôture du colloque d'Ifrane sur l'enseignement.

Juillet 1970. Début du procès de Marrakech.

7 juillet 1970. Hassan II annonce la fin de l'état d'exception.

31 juillet 1970. Deuxième Constitution.

Août 1970. Création d'*Ilal Amam* (issu du PCM).

1970. Premier parti islamiste, la *chabiba Islamiya* (Jeunesse islamique) d'A. Mouti et I. Kamal.

Constitution du Bloc national (*Koutla*) Istiqlâl-UNFP.

Élections législatives. Seconde législature (1970-1971).

Juin 1971. « Complot » baâsiste attribué au fqih Basri. Presse UNFP interdite. 193 militants poursuivis à Marrakech (14 juin).

10 juillet 1971. Coup d'État de Skhirat.

13 juillet 1971. 10 officiers supérieurs putschistes fusillés.

Fin 1971. Suspension de la seconde législature.

1er mars 1972. Troisième Constitution (98,75 % de oui).

30 avril 1972. Report des élections législatives.

30 juil. 1972. Scission de l'UNFP en deux tendances (Casablanca et Rabat).

16 août 1972. Coup d'État avorté du Boeing. Mort d'Oufkir.

24 janv. 1973. Suspension de l'UNEM. Arrestation de son président et de son adjoint. Décret d'arabisation de la faculté des Lettres.

Mars 1973. Récupération des terres ; marocanisation du commerce et de l'industrie.

3 mars 1973. Tentative de lancement de guérilla de Moulay Bouaaza (Moyen-Atlas) et Goulmina (Haut-Atlas).

Fin mars 1973. Démantèlement du Cab 1, création de la DST (contre-espionnage) et de la DGED (espionnage).

14 avril 1973. Révision restrictive du code des libertés publiques de 1958.

10 mai 1973. Création du Front Polisario.

25 juin 1973. Ouverture du procès des membres de l'UNFP devant le tribunal militaire de Kénitra (157 inculpés, complot du 3 mars).

31 juill. 1973. Ouverture du procès de Casablanca, 80 gauchistes inculpés (A. Laâbi, A. Serfaty, A. Balafrej).

Été 1973. 58 officiers et sous-officiers transférés de Kénitra à Tazmamart.

Octobre 1973. Guerre au Proche-Orient ; envolée des cours du phosphate et du pétrole.

Juin 1974. A. Yassine adresse à Hassan II sa lettre « *L'islam ou le Déluge* ».

9 juillet 1974. Lancement de la récupération du Sahara.

Août 1974. Création du PPS (héritier du PLS, qui a succédé en 1969 au PCM, lui-même dissous en 1960).

Janvier 1975. Congrès extraordinaire de l'UNFP, fondateur de l'USFP. A. Bouabid premier secrétaire.

16 oct. 1975. Hassan II annonce la Marche Verte.

6 nov. 1975. Début de la Marche Verte.

Nov. 1975. Accord tripartite de Madrid sur Sahara occidental.

18 déc. 1975. Assassinat du leader de l'USFP Omar Benjelloun.

Hiver 1975-1976. Répression et emprisonnement de la majorité des cadres *d'Ilal Amam*.

27 janv. 1976. Début de la guerre au Sahara avec l'Algérie.

Campagne d'Amgala (jusqu'au 15 février).

20 mai 1976. Proclamation de la RASD (République arabe sahraouie démocratique).

Sept. 1976. Nouvelle Charte des collectivités locales. Amorce de la décentralisation.

Nov. 1976. Élections communales et municipales. Début « processus démocratique ».

Mai 1977. Procès de Casablanca (groupe des 178 marxistes-léninistes).

3-21 juin 1977. Premières élections législatives depuis Constitution de 1972.

Troisième législature (1977-1983).

12 oct. 1977. Gouvernement A. Osman. Retour de l'Istiqlâl au pouvoir.

Oct. 1978. Les indépendants créent le RNI (premier parti au Parlement).

26 nov. 1978. Création de la Confédération démocratique du Travail (CDT) de Noubir Amaoui (USFP).

1979. Hassan II président du Comité *Al Qods*.

29 janv. 1979. Prise de la ville marocaine de Tan Tan par le Polisario.

Mars 1979. Driss Basri ministre de l'Intérieur.

24 juin 1979. Congrès constitutif de l'AMDH.

14 août 1979. Récupération du Rio de Oro auprès de la Mauritanie.

Octobre 1979. Aide militaire américaine.

1980-1984. Première grande vague de sécheresse.

1980. Début de construction du mur au Sahara.

1980. Sortie à Paris du roman *Le Pain nu* de Mohammed Choukri traduit par Tahar Benjelloun.

Juillet 1980. Grande amnistie (membres USFP détenus depuis 1973-1974 et même 1964).

6 juin 1981. Émeutes de Casablanca contre augmentation des prix. Arrestations et centaines de morts.

25 juin 1981. Hassan II annonce un référendum au Sahara (Nairobi).

5 sept. 1981. A. Bouabid, M. el Yazghi et M. Lahbabi assignés à résidence.

25 janv. 1983. Mort de Dlimi.

26 fév. 1983. Rencontre entre Hassan II et Chadli Bendjedid.

Mars 1983. Création de l'Union constitutionnelle (UC) de Maâti Bouabid.

Mai 1983. Scission au sein de l'USFP de Me Benameur.

1983. Les militants frontistes de l'AMDH insistent pour que Tazmamart soit publiquement évoqué.

1983-1993. Plan d'ajustement structurel (PAS).

19 janv. 1984. Émeutes du pain à Tétouan et Nador (une centaine de morts).

Août 1984. Traité d'Oujda. Union arabo-africaine avec Libye (1984-1986).

Sept.-oct. 1984. Élections législatives. Quatrième législature (1984-1993).

12 nov. 1984. Le Maroc quitte l'OUA après l'admission de la RASD.

19 août 1985. Accueil du pape Jean-Paul II à Casablanca. Le chef des catholiques s'adresse directement à des musulmans.

1986. Congrès du Mouvement populaire ayant exclu M. Aherdane.

22 juillet 1986. Entrevue Hassan II-Shimon Peres à Ifrane (Moyen-Atlas).

1987. Adhésion au GATT.

Avril 1987. Évasion des enfants Oufkir.

4 mai 1987. Début pourparlers Hassan II-C. Bendjedid.

20 juil. 1987. Le Maroc demande son adhésion à la CEE.

1987. Tahar Benjelloun lauréat du prix Goncourt pour son roman *La Nuit sacrée.*

1988. Suspension de l'hebdomadaire *Lamalif.*

10 déc. 1988. Naissance Organisation marocaine des droits de l'homme (OMDH).

6 mai 1988. Rétablissement des relations diplomatiques Maroc-Algérie.

1988-août 1993. Construction Mosquée Hassan II de Casablanca (600 millions de dollars financés par souscription publique).

17 fév. 1989. Création Union du Maghreb arabe (UMA).

30 déc. 1989. Cheikh A. Yassine en résidence surveillée ; association *Al Adl wa Al Ihsane* interdite.

1990. Amnesty dénonce la situation des droits humains au Maroc (campagne internationale).

8 mai 1990. Création du Comité consultatif des droits de l'homme (CCDH).

2 août 1990. Guerre du Golfe (jusqu'en mars 1991).

Sept. 1990. Parution de *Notre ami le roi* de Gilles Perrault.

9-31 déc. 1990. Grève générale ; émeutes de Fès, Tanger et Kénitra (14 décembre).

Janv. 1991. Décès d'A. Bouabid. A. Youssoufi premier secrétaire de l'USFP.

3 février 1991. Démonstration de force islamiste à Rabat.

1991. M. Aherdane crée à Marrakech le Mouvement national populaire (MNP).

Août 1991. Charte amazigh d'Agadir signée par 6 associations culturelles.

6 sept. 1991. Cessez-le-feu au Sahara. Envoi des Casques bleus au Sahara.

13 sept. 1991. A. Serfaty libéré et expulsé comme Brésilien.

1991. André Azoulay conseiller économique du roi.

23 oct. 1991. Libération des survivants de Tazmamart.

21 août 1992. Hassan II présente un projet de réforme constitutionnelle.

6 février 1993. Arrestation du commissaire M. Tabit à Casablanca.

1993. Quatrième Constitution. Concept de « droits de l'homme » inscrit dans le texte.
Élections générales, cinquième législature (1993-1997).

15 sept. 1993. Hassan II reçoit Itzhak Rabin.

5 oct. 1993. L'opposition (USFP en tête) refuse de participer au gouvernement. Exil à Cannes d'A. Youssoufi.

1993-1994. La population urbaine est majoritaire.

Janvier 1994. Troubles islamistes dans les universités de Fès et Casablanca.

1994. Ouverture du bureau de liaison d'Israël à Rabat.

Avril 1994. Signature des accords du GATT-OMC à Marrakech.

Print.-été 1994. Crise berbériste (arrestation, procès et libération de jeunes manifestants du 1er Mai). Hassan II évoque l'enseignement des dialectes berbères.

Août 1994. Fermeture de la frontière avec l'Algérie après l'attentat de l'Hôtel Atlas Asni à Marrakech (le 24).

1995. Retour du fqih Basri après trente ans d'exil.

24 déc. 1995. Campagne d'assainissement économique lancée par D. Basri.

13 sept. 1996. Cinquième révision constitutionnelle (deuxième Chambre) adoptée par référendum (99,56 % des voix).

1996. Accord de partenariat avec l'Union européenne.

14 nov. 1997. Législatives de l'alternance. Sixième législature (1998-2002).
Naissance du *Journal.*

14 mars 1998. A. Youssoufi Premier ministre (gouvernement d'alternance).

14 juil. 1999. Hassan II assiste au défilé du 14 Juillet à Paris.
La Minurso a établi la liste pour le référendum au Sahara.

23 juil. 1999. Décès de Hassan II.

30 juil. 1999. Intronisation de Mohammed VI (Fête du Trône).

Août 1999. Commission royale d'indemnisation des anciens prisonniers politiques.

13 sept. 1999. Retour d'exil d'A. Serfaty.

Octobre 1999. Première tournée du roi en province (Rif).

9 nov. 1999. Révocation de D. Basri.

1ᵉʳ mars 2000. Manifeste berbère (Mohammed Chafik).

12 mars 2000. Manifestations pour et contre le Plan d'intégration des femmes.

Print. 2000. Publication de *Tazmamart, cellule 10* d'A. Merzouki.

Été 2000. Annonce prématurée de la découverte de pétrole à Talsinnt.

7 oct. 2000. Pèlerinage du Forum Justice et Vérité à Tazmamart.

8 oct. 2000. Manifestation à Rabat contre « judaïsation d'*El Qods* ».

Octobre 2000. Fermeture du bureau de liaison d'Israël à Rabat.

Nov. 2000. *Le Journal* révèle l'implication de la gauche dans le coup d'État d'Oufkir. Suspension de trois journaux.

Janv. 2001. Rapport parlementaire sur le « CIH-gate ».

Mars 2001. VIᵉ congrès de l'USFP. Scission du parti avec la CDT qui crée son propre parti.

Juin 2001. Révélations d'A. Boukhari sur la mort de M. Ben Barka.

Été 2001. Nomination des super-walis et de Driss Jetou à l'Intérieur.

16 sept. 2001. Cérémonie interconfessionnelle à la cathédrale de Rabat (*post* 11 septembre).

17 oct. 2001. Dahir d'Ajdir créant l'IRCAM (Institut de la recherche sur la culture amazigh marocaine).

Octobre 2001. Début crise diplomatique maroco-espagnole.

21 mars 2002. Mariage du roi Mohammed VI.

7 avril 2002. Marche de Rabat pour la Palestine (300 000 membres estimés, tous les partis politiques).

Mai 2002. Négociation en faveur d'un accord de libre-échange avec les EUA.

12-14 juillet 2002. Festivités officielles à Rabat pour le mariage du roi.

Début oct. 2002. Élections législatives. Septième législature (2002-2007).

2010. Entrée en vigueur accord de libre-échange avec l'UE.

Table

Introduction 3

DE L'EMPIRE CHÉRIFIEN AU ROYAUME MAROCAIN (1912-1961)

I / L'avènement d'un nouveau Maroc sous le protectorat 6
   1. L'invention du nationalisme marocain 6
   2. Du sultanat à la monarchie 10
   3. Économie coloniale et modernisation sociale 12
   4. Une solide bourgeoisie urbaine 14
   5. Exil du sultan et naissance de l'ALM 15
   6. Le mauvais combat des caïds 17
   7. La négociation de l'indépendance 18

II / Mohammed V et l'Istiqlâl (1956-1961) 20
   1. L'état des forces à l'indépendance 20
   2. L'Istiqlâl se comporte en parti unique… 22
   3. … Mais son action reste sous contrôle 24
   4. La réduction des oppositions armées 25
   5. Le gouvernement Abdallah Ibrahim 27
   6. Une tentative de planification économique 29
   7. La défaite de l'Istiqlâl précède la mort de Mohammed V 30

LA MONARCHIE DE HASSAN II À L'ÉPREUVE (1961-1975)

III / Constitution et montée des périls (1961-1975) .. 33
   1. Hassan II fait voter la Constitution 33
   2. « Le fellah marocain, défenseur du Trône » 35

3. Vers l'ère des complots 37
4. La guerre des sables (1963) 38
5. L'armée, colonne vertébrale du régime 39
6. Ben Barka à la manœuvre 42
7. La dégradation économique... 44
8. ...Conduit à l'émeute (Casablanca, mars 1965) 45

**IV / État d'exception et effervescence politique
(1965-1972)** 47
1. La disparition de Mehdi Ben Barka devient une
affaire d'État 47
2. L'UNFP tétanisée se retrouve isolée 48
3. Les grandes heures de l'UNEM 51
4. La structuration du gauchisme marocain 52
5. Euphorie économique et insouciance à Rabat 55
6. Le premier coup d'État (1971) ébranle le régime . 56
7. Une conjonction des oppositions ? 57
8. Le second coup d'État décapite l'armée 59

V / La fin programmée du régime ? (1972-1975) 61
1. L'heure d'Ahmed Dlimi 61
2. Dissolution de l'UNEM et mise au pas de
l'Université 63
3. La tentative d'insurrection du Moyen-Atlas 65
4. La marocanisation de 1973 conforte la base
sociale du régime 66
5. Les phosphates au secours du régime 67
6. À la recherche de l'Union sacrée 69
7. L'opposition se rapproche du Palais 70
8. Vers une libéralisation du régime ? 71

*LE MAROC DE HASSAN II DU CONSENSUS
À L'ALTERNANCE (1975-1999)*

**VI / De Dlimi à Basri, le Maroc des « années de
plomb » (1975-1990)** 73
1. La Marche Verte 73
2. Guerre avec l'Algérie puis avec le Polisario 74
3. L'armée au Sahara 76
4. L'invention du consensus 78

5. *L'alternance limitée de 1977 accélère l'arabisation* 79
6. *La catastrophe économique débouche sur les émeutes de 1981...* 81
7. *... Et la politique d'ajustement structurel (1983-1993)* 83
8. *La disparition de Dlimi laisse libre champ à l'Intérieur* 84
9. *Une vie politique anémiée* 87
10. *Gagner la bataille du Sahara* 88

VI / La longue marche vers l'alternance (1991-1999) 91
1. *Fin de la guerre froide et effet Gilles Perrault* 91
2. *La guerre du Golfe rend visible l'islamisme marocain* 92
3. *Une timide libéralisation du régime* 94
4. *L'affaire de la Grande Mosquée* 95
5. *Les technocrates au pouvoir après l'échec d'une première alternance* 97
6. *Austérité et crise économique* 99
7. *La réforme constitutionnelle de 1996 et l'accord avec l'opposition* 100
8. *Les élections de 1997 et l'alternance octroyée* 101
9. *Un gouvernement impossible ?* 102

Conclusion : le Maroc en transition de Mohammed VI 106
1. *Une forte rupture symbolique et politique* 106
2. *Une société désemparée sur fond de crise économique* 107
3. *Les législatives de septembre 2002, une tentative de normalisation ?* 108

Bibliographie 111

Chronologie du Maroc contemporain (1912-2002) 114

Collection

R E P È R E S

dirigée par
JEAN-PAUL PIRIOU

avec BERNARD COLASSE, PASCAL
COMBEMALE, FRANÇOISE DREYFUS,
HERVÉ HAMON, DOMINIQUE MERLLIÉ
et CHRISTOPHE PROCHASSON

Affaire Dreyfus (L'), n° 141,
Vincent Duclert.
Aménagement du territoire (L'),
n° 176, Nicole de Montricher.
Analyse financière de l'entreprise (L'),
n° 153, Bernard Colasse.
Archives (Les), n° 324,
Sophie Cœuré et Vincent Duclert.
**Argumentation dans la communication
(L'),** n° 204, Philippe Breton.
Bibliothèques (Les),
n° 247, Anne-Marie Bertrand.
Bourse (La), n° 317,
Daniel Goyeau et Amine Tarazi.
Budget de l'État (Le), n° 33,
Maurice Baslé.
**Calcul des coûts dans les organisations
(Le),** n° 181, Pierre Mévellec.
Calcul économique (Le),
n° 89, Bernard Walliser.
Capitalisme historique (Le),
n° 29, Immanuel Wallerstein.
Catégories socioprofessionnelles (Les),
n° 62, Alain Desrosières
et Laurent Thévenot.
**Catholiques en France depuis 1815
(Les),** n° 219, Denis Pelletier.
Chômage (Le), n° 22, Jacques Freyssinet.
Chronologie de la France au XXᵉ siècle,
n° 286, Catherine Fhima.
Collectivités locales (Les),
n° 242, Jacques Hardy.
Commerce international (Le),
n° 65, Michel Rainelli.
Comptabilité anglo-saxonne (La),
n° 201, Peter Walton.
Comptabilité en perspective (La),
n° 119, Michel Capron.
Comptabilité nationale (La),
n° 57, Jean-Paul Piriou.
Concurrence imparfaite (La),
n° 146, Jean Gabszewicz.

Conditions de travail (Les), n° 301,
Michel Gollac et Serge Volkoff.
Consommation des Français (La) :
1. n° 279 ; **2.** n° 280,
Nicolas Herpin et Daniel Verger.
Constitutions françaises (Les), n° 184,
Olivier Le Cour Grandmaison.
Contrôle budgétaire (Le),
n° 340, Nicolas Berland.
Construction européenne (La), n° 326,
Guillaume Courty et Guillaume Devin.
Contrôle de gestion (Le), n° 227,
Alain Burlaud, Claude J. Simon.
Cour des comptes (La), n° 240,
Rémi Pellet.
Coût du travail et emploi,
n° 241, Jérôme Gautié.
Critique de l'organisation du travail,
n° 270, Thomas Coutrot.
Culture de masse en France (La) :
1. 1860-1930, n° 323,
Dominique Kalifa.
Décentralisation (La), n° 44,
Xavier Greffe.
**Démocratisation de l'enseignement
(La),** n° 345, Pierre Merle.
Démographie (La), n° 105,
Jacques Vallin.
Dette des tiers mondes (La),
n° 136, Marc Raffinot.
**Développement économique de l'Asie
orientale (Le),** n° 172, Éric Bouteiller
et Michel Fouquin.
DOM-TOM (Les), n° 151,
Gérard Belorgey et Geneviève Bertrand.
Droit de la famille, n° 239,
Marie-France Nicolas-Maguin.
Droits de l'homme (Les),
n° 333, Danièle Lochak.
Droit du travail (Le),
n° 230, Michèle Bonnechère.
Droit international humanitaire (Le),
n° 196, Patricia Buirette.
Droit pénal, n° 225, Cécile Barberger.
Économie bancaire,
n° 268, Laurence Scialom.
**Économie britannique depuis 1945
(L'),** n° 111, Véronique Riches.
Économie de l'Afrique (L'),
n° 117, Philippe Hugon.

Économie de l'automobile, n° 171, Jean-Jacques Chanaron et Yannick Lung.

Économie de l'environnement, n° 252, Pierre Bontems et Gilles Rotillon.

Économie de l'euro, n° 336, Agnès Benassy-Quéré et Benoît Cœuré.

Économie française 2002 (L'), n° 332, OFCE.

Économie de l'innovation, n° 259, Dominique Guellec.

Économie de l'Italie (L'), n° 175, Giovanni Balcet.

Économie de la connaissance (L'), n° 302, Dominique Foray.

Économie de la culture (L'), n° 192, Françoise Benhamou.

Économie de la drogue (L'), n° 213, Pierre Kopp.

Économie de la presse, n° 283, Patrick Le Floch et Nathalie Sonnac.

Économie de la réglementation (L'), n° 238, François Lévêque.

Économie de la RFA (L'), n° 77, Magali Demotes-Mainard.

Économie des États-Unis (L'), n° 341, Hélène Baudchon et Monique Fouet.

Économie des inégalités (L'), n° 216, Thomas Piketty.

Économie des organisations (L'), n° 86, Claude Menard.

Économie des relations interentreprises (L'), n° 165, Bernard Baudry.

Économie des réseaux, n° 293, Nicolas Curien.

Économie des ressources humaines, n° 271, François Stankiewicz.

Économie des services (L'), n° 113, Jean Gadrey.

Économie du droit, n° 261, Thierry Kirat.

Économie du Japon (L'), n° 235, Évelyne Dourille-Feer.

Économie du sport (L'), n° 309, Jean-François Bourg et Jean-Jacques Gouguet.

Économie et écologie, n° 158, Frank-Dominique Vivien.

Économie informelle dans le tiers monde (L'), n° 155, Bruno Lautier.

Économie mondiale 2003 (L'), n° 348, CEPII.

Économie mondiale des matières premières (L'), n° 76, Pierre-Noël Giraud.

Économie politique du capitalisme, n° 349, Gérard Duménil et Dominique Lévy.

Économie sociale (L'), n° 148, Claude Vienney.

Emploi en France (L'), n° 68, Dominique Gambier et Michel Vernières.

Employés (Les), n° 142, Alain Chenu.

Ergonomie (L'), n° 43, Maurice de Montmollin.

Éthique dans les entreprises (L'), n° 263, Samuel Mercier.

Éthique économique et sociale, n° 300, Christian Arnsperger et Philippe Van Parijs.

Étudiants (Les), n° 195, Olivier Galland et Marco Oberti.

Europe sociale (L'), n° 147, Daniel Lenoir.

Évaluation des politiques publiques (L'), n° 329, Bernard Perret.

FMI (Le), n° 133, Patrick Lenain.

Fonction publique (La), n° 189, Luc Rouban.

Formation professionnelle continue (La), n° 28, Claude Dubar.

France face à la mondialisation (La), n° 248, Anton Brender.

Front populaire (Le), n° 342, Frédéric Monier.

Grandes économies européennes (Les), n° 256, Jacques Mazier.

Guerre froide (La), n° 351, Stanislas Jeannesson.

Histoire de l'administration, n° 177, Yves Thomas.

Histoire de l'Algérie coloniale, 1830-1954, n° 102, Benjamin Stora.

Histoire de l'Algérie depuis l'indépendance, 1. 1962-1988, n° 316, Benjamin Stora.

Histoire de l'Europe monétaire, n° 250, Jean-Pierre Patat.

Histoire du féminisme, n° 338, Michèle Riot-Sarcey.

Histoire de l'immigration, n° 327, Marie-Claude Blanc-Chaléard.

Histoire de l'URSS, n° 150,
Sabine Dullin.

Histoire de la guerre d'Algérie, 1954-1962, n° 115, Benjamin Stora.

Histoire de la philosophie, n° 95, Christian Ruby.

Histoire de la société de l'information, n° 312, Armand Mattelart.

Histoire de la sociologie :
1. Avant 1918, n° 109,
2. Depuis 1918, n° 110,
Charles-Henri Cuin et François Gresle.

Histoire des États-Unis depuis 1945 (L'), n° 104, Jacques Portes.

Histoire des idées politiques en France au XIXᵉ siècle, n° 243, Jérôme Grondeux.

Histoire des idées socialistes, n° 223, Noëlline Castagnez.

Histoire des théories de l'argumentation, n° 292, Philippe Breton et Gilles Gauthier.

Histoire des théories de la communication, n° 174, Armand et Michèle Mattelart.

Histoire du Parti communiste français, n° 269, Yves Santamaria.

Histoire du Maroc depuis l'indépendance, n° 346, Pierre Vermeren.

Histoire du parti socialiste, n° 222, Jacques Kergoat.

Histoire du radicalisme, n° 139, Gérard Baal.

Histoire du travail des femmes, n° 284, Françoise Battagliola.

Histoire politique de la IIIᵉ République, n° 272, Gilles Candar.

Histoire politique de la IVᵉ République, n° 299, Éric Duhamel.

Histoire sociale du cinéma français, n° 305, Yann Darré.

Indice des prix (L'), n° 9, Jean-Paul Piriou.

Industrie française (L'), n° 85, Michel Husson et Norbert Holcblat.

Inflation et désinflation, n° 48, Pierre Bezbakh.

Insécurité en France (L'), n° 353, Philippe Robert.

Introduction à Keynes, n° 258, Pascal Combemale.

Introduction à l'économie de Marx, n° 114, Pierre Salama et Tran Hai Hac.

Introduction à l'histoire de la France au XXᵉ siècle, n° 285, Christophe Prochasson.

Introduction à la comptabilité d'entreprise, n° 191, Michel Capron et Michèle Lacombe-Saboly.

Introduction à la macroéconomie, n° 344, Anne Épaulard et Aude Pommeret.

Introduction à la microéconomie, n° 106, Gilles Rotillon.

Introduction à la philosophie politique, n° 197, Christian Ruby.

Introduction au droit, n° 156, Michèle Bonnechère.

Introduction aux sciences de la communication, n° 245, Daniel Bougnoux.

Introduction aux théories économiques, n° 262, Françoise Dubœuf.

Islam (L'), n° 82, Anne-Marie Delcambre.

Jeunes (Les), n° 27, Olivier Galland.

Judaïsme (Le), n° 203, Régine Azria.

Justice en France (La), n° 116, Dominique Vernier.

Lexique de sciences économiques et sociales, n° 202, Jean-Paul Piriou.

Libéralisme de Hayek (Le), n° 310, Gilles Dostaler.

Macroéconomie. Investissement (L'), n° 278, Patrick Villieu.

Macroéconomie. Consommation et épargne, n° 215, Patrick Villieu.

Macroéconomie financière :
1. Finance, croissance et cycles, n° 307,
2. Crises financières et régulation monétaire, n° 308, Michel Aglietta.

Management de la qualité (Le), n° 315, Michel Weill.

Management international (Le), n° 237, Isabelle Huault.

Marchés du travail en Europe (Les), n° 291, IRES.

Mathématiques des modèles dynamiques, n° 325, Sophie Jallais.

Méthode en sociologie (La), n° 194, Jean-Claude Combessie.

Méthodes de l'intervention psychosociologique (Les), n° 347, Gérard Mendel et Jean-Luc Prades.

Méthodes en sociologie (Les) : l'observation, n° 234, Henri Peretz.

Méthodologie de l'investissement dans l'entreprise, n° 123, Daniel Fixari.

Métiers de l'hôpital (Les), n° 218, Christian Chevandier.

Mobilité sociale (La), n° 99, Dominique Merllié et Jean Prévot.

Modèle japonais de gestion (Le), n° 121, Annick Bourguignon.

Modèles productifs (Les), n° 298, Robert Boyer et Michel Freyssenet.

Modernisation des entreprises (La), n° 152, Danièle Linhart.

Mondialisation de la culture (La), n° 260, Jean-Pierre Warnier.

Mondialisation de l'économie (La) :
   1. **Genèse**, n° 198,
   2. **Problèmes**, n° 199, Jacques Adda.

Mondialisation et l'emploi (La), n° 343, Jean-Marie Cardebat.

Monnaie et ses mécanismes (La), n° 295, Dominique Plihon.

Multinationales globales (Les), n° 187, Wladimir Andreff.

Notion de culture dans les sciences sociales (La), n° 205, Denys Cuche.

Nouvelle économie (La), n° 303, Patrick Artus.

Nouvelle économie chinoise (La), n° 144, Françoise Lemoine.

Nouvelle histoire économique de la France contemporaine :
   1. **L'économie préindustrielle (1750-1840)**, n° 125, Jean-Pierre Daviet.
   2. **L'industrialisation (1830-1914)**, n° 78, Patrick Verley.
   3. **L'économie libérale à l'épreuve (1914-1948)**, n° 232, Alain Leménorel.
   4. **L'économie ouverte (1948-1990)**, n° 79, André Gueslin.

Nouvelle microéconomie (La), n° 126, Pierre Cahuc.

Nouvelle théorie du commerce international (La), n° 211, Michel Rainelli.

Nouvelles théories de la croissance (Les), n° 161, Dominique Guellec et Pierre Ralle.

Nouvelles théories du marché du travail (Les), n° 107, Anne Perrot.

ONU (L'), n° 145, Maurice Bertrand.

Organisation mondiale du commerce (L'), n° 193, Michel Rainelli.

Outils de la décision stratégique (Les) :
   1 : **Avant 1980**, n° 162,
   2 : **Depuis 1980**, n° 163, José Allouche et Géraldine Schmidt.

Personnes âgées (Les), n° 224, Pascal Pochet.

Philosophie de Marx (La), n° 124, Étienne Balibar.

Pierre Mendès France, n° 157, Jean-Louis Rizzo.

Politique de la concurrence (La), n° 339, Emmanuel Combe.

Politique de la famille (La), n° 352, Jacques Commaille, Pierre Strobel et Michel Villac.

Politique de l'emploi (La), n° 228, DARES.

Politique étrangère de la France depuis 1945 (La), n° 217, Frédéric Bozo.

Politique financière de l'entreprise (La), n° 183, Christian Pierrat.

Population française (La), n° 75, Jacques Vallin.

Population mondiale (La), n° 45, Jacques Vallin.

Postcommunisme en Europe (Le), n° 266, François Bafoil.

Presse des jeunes (La), n° 334, Jean-Marie Charon.

Presse magazine (La), n° 264, Jean-Marie Charon.

Presse quotidienne (La), n° 188, Jean-Marie Charon.

Protection sociale (La), n° 72, Numa Murard.

Protectionnisme (Le), n° 322, Bernard Guillochon.

Protestants en France depuis 1789 (Les), n° 273, Rémi Fabre.

Psychanalyse (La), n° 168, Catherine Desprats-Péquignot.

Quel avenir pour nos retraites ?, n° 289, Gaël Dupont et Henri Sterdyniak.

Question nationale au XIXᵉ siècle (La), n° 214, Patrick Cabanel.

Régime de Vichy (Le), n° 206, Marc Olivier Baruch.

Régime politique de la Vᵉ République (Le), n° 253, Bastien François.

Régimes politiques (Les),
n° 244, Arlette Heymann-Doat.
**Régionalisation de l'économie
mondiale (La)**, n° 288,
Jean-Marc Siroën.
Revenu minimum garanti (Le),
n° 98, Chantal Euzéby.
Revenus en France (Les), n° 69,
Yves Chassard et Pierre Concialdi.
Santé des Français (La), n° 330,
Haut comité de la santé publique.
Sciences de l'éducation (Les), n° 129,
Éric Plaisance et Gérard Vergnaud.
Sexualité en France (La),
n° 221, Maryse Jaspard.
Société du risque (La),
n° 321, Patrick Peretti Watel.
Sociologie de Durkheim (La),
n° 154, Philippe Steiner.
Sociologie de Georg Simmel (La),
n° 311, Frédéric Vandenberghe.
Sociologie de l'architecture,
n° 314, Florent Champy.
Sociologie de l'art, n° 328,
Nathalie Heinich.
Sociologie de l'éducation,
n° 169, Marlaine Cacouault
et Françoise Œuvrard.
Sociologie de l'emploi,
n° 132, Margaret Maruani et
Emmanuèle Reynaud.
Sociologie de l'organisation sportive,
n° 281, William Gasparini.
Sociologie de la bourgeoisie,
n° 294, Michel Pinçon
et Monique Pinçon-Charlot.
Sociologie de la consommation,
n° 319, Nicolas Herpin.
Sociologie de la négociation, N° 350,
Reynald Bourque et Christian Thuderoz.
Sociologie de la prison,
n° 318, Philippe Combessie.
Sociologie de Marx (La),
n° 173, Jean-Pierre Durand.
Sociologie de Norbert Elias (La),
n° 233, Nathalie Heinich.
Sociologie des cadres,
n° 290, Paul Bouffartigue
et Charles Gadea.
Sociologie des entreprises, n° 210,
Christian Thuderoz.
Sociologie des mouvements sociaux,
n° 207, Erik Neveu.

Sociologie des organisations,
n° 249, Lusin Bagla-Gökalp.
Sociologie des relations internationales,
n° 335, Guillaume Devin.
**Sociologie des relations
professionnelles**,
n° 186, Michel Lallement.
Sociologie des syndicats,
n° 304, Dominqiue Andolfatto
et Dominique Labbé.
Sociologie du chômage (La),
n° 179, Didier Demazière.
Sociologie du droit, n° 282,
Évelyne Séverin.
Sociologie du journalisme,
n° 313, Erik Neveu.
Sociologie du sport, n° 164,
Jacques Defrance.
Sociologie du travail (La),
n° 257, Sabine Erbès-Seguin.
Sociologie économique (La),
n° 274, Philippe Steiner.
Sociologie en France (La), n° 64,
ouvrage collectif.
Sociologie historique du politique,
n° 209, Yves Déloye.
Sociologie de la ville, n° 331, Yankel
Fijalkow.
Sondages d'opinion (Les), n° 38,
Hélène Meynaud et Denis Duclos.
**Stratégies des ressources humaines
(Les)**, n° 137, Bernard Gazier.
**Syndicalisme en France depuis 1945
(Le)**, n° 143, René Mouriaux.
Syndicalisme enseignant (Le),
n° 212, Bertrand Geay.
Système éducatif (Le),
n° 131, Maria Vasconcellos.
Système monétaire international (Le),
n° 97, Michel Lelart.
Taux de change (Les), n° 103,
Dominique Plihon.
Taux d'intérêt (Les),
n° 251, A. Benassy-Quéré, L. Boone et
V. Coudert.
Taxe Tobin (La), n° 337, Yves Jegourel.
Tests d'intelligence (Les), n° 229,
Michel Huteau et Jacques Lautrey.
Théorie de la décision (La),
n° 120, Robert Kast.
**Théories économiques du
développement (Les)**, n° 108,
Elsa Assidon.

**Théorie économique néoclassique
(La) :**
   1. Microéconomie, n° 275,
   2. Macroéconomie, n° 276,
   Bernard Guerrien.
Théories de la monnaie (Les), n° 226,
   Anne Lavigne et Jean-Paul Pollin.
Théories des crises économiques (Les),
   n° 56, Bernard Rosier.
Théories du salaire (Les),
   n° 138, Bénédicte Reynaud.
**Théories sociologiques de la famille
   (Les),** n° 236, Catherine Cicchelli-
   Pugeault et Vincenzo Cicchelli.
Tiers monde (Le),
   n° 53, Henri Rouillé d'Orfeuil.
Travail des enfants dans le monde (Le),
   n° 265, Bénédicte Manier.
Travail et emploi des femmes,
   n° 287, Margaret Maruani.
Travailleurs sociaux (Les), n° 23,
   Jacques Ion et Bertrand Ravon.
Union européenne (L'), n° 170,
   Jacques Léonard et Christian Hen.

Dictionnaires

R   E   P   È   R   E   S

Dictionnaire de gestion, Élie Cohen.
Dictionnaire d'analyse économique,
   *microéconomie, macroéconomie,
   théorie des jeux, etc.,* Bernard Guerrien.

Guides

R   E   P   È   R   E   S

L'art de la thèse, *Comment préparer et
   rédiger une thèse de doctorat, un
   mémoire de DEA ou de maîtrise ou tout
   autre travail universitaire,*
   Michel Beaud.
Les ficelles du métier. *Comment
   conduire sa recherche en sciences
   sociales,* Howard S. Becker.
Guide des méthodes de l'archéologie,
   Jean-Paul Demoule, François Giligny,
   Anne Lehoërff, Alain Schnapp.
Guide du stage en entreprise,
   Michel Villette.
Guide de l'enquête de terrain,
   Stéphane Beaud, Florence Weber.
Manuel de journalisme. *Écrire pour le
   journal,* Yves Agnès.
Voir, comprendre, analyser les images,
   Laurent Gervereau.

Manuels

R   E   P   È   R   E   S

Analyse macroéconomique 1.
Analyse macroéconomique 2.
   17 auteurs sous la direction de
   Jean-Olivier Hairault.
**Une histoire de la comptabilité
   nationale,** André Vanoli.

Composition Facompo, Lisieux (Calvados)
Achevé d'imprimer en septembre 2002 (2ᵉ tirage)
sur les presses de l'Imprimerie Campin 2000 à Tournai (Belgique)
Dépôt légal du 1ᵉʳ tirage : août 2002